mes recettes
au mijoteur

mes recettes
au mijoteur
Sara Lewis

Publié pour la première fois en Grande-Bretagne
en 2009 sous le titre *200 slow cooker recipes*.

Traduit de l'anglais par Catherine Vandevyvere.
Mise en pages : les PAOistes.

Pour l'éditeur, le principe est d'utiliser des papiers
composés de fibres naturelles, renouvelables,
recyclables et fabriquées à partir de bois
issus de forêts qui adoptent un système
d'aménagement durable.
En outre, l'éditeur attend de ses fournisseurs de papier
qu'ils s'inscrivent dans une démarche de certification
environnementale reconnue.

ISBN : 978-2-501-06574-0
Dépôt légal : mars 2010
40.5717.0/01
Imprimé en Espagne par Quebecor-Cayfosa

sommaire

introduction

Si vous avez envie de préparer de bons petits plats mijotés, sains et savoureux, mais si vous ne vous y mettez pas par manque de temps, alors ce livre est pour vous. 15 à 20 minutes, c'est le temps maximum que vous passerez désormais à vos fourneaux, en début de journée, grâce au mijoteur électrique. Votre repas mijotera tout seul pendant que vous vous consacrerez à d'autres activités, la conscience tranquille.

Le mijoteur est l'appareil idéal pour les familles avec enfants. Le dîner peut en effet être mis en route directement après avoir déposé les petits à l'école, pour que tout soit prêt en fin de journée quand tout le monde rentre à la maison. Si vous faites les trois-huit ou si vous êtes étudiant, vous mettrez votre repas en route dès le matin. En fin de journée, après le travail ou après vos cours, vous trouverez très agréable de n'avoir qu'à mettre les pieds sous la table. Si vous êtes un jeune retraité, vous apprécierez certainement que votre dîner se fasse tout seul alors que vous disputez une partie de tennis entre amis ou pendant que vous vous livrez enfin aux joies du bricolage ou du jardinage.

Du fait que les aliments cuisent très lentement, vous n'avez plus à craindre que la préparation déborde, attache ou brûle. En position 1 (« low »), l'appareil peut même rester allumé 8 à 10 heures sans aucun souci.

Les aliments mijotés ont une saveur sans pareil. Quand le four à micro-ondes a fait son apparition, tout le monde l'a considéré comme le remède à nos modes de vie trépidants. Il est vrai qu'il permet de cuisiner en quelques minutes... mais il faut bien avouer que les aliments cuits de cette manière sont rarement appétissants et savoureux. Bien sûr, des plats tout prêts que l'on trouve dans le commerce peuvent aisément être réchauffés dans un four à micro-ondes, mais ils ne sont pas équilibrés et, en plus, au quotidien, cela revient cher.

Le mijoteur est un appareil respectueux de l'environnement. Plus besoin d'allumer le four, gros consommateur d'énergie, pour un seul plat. Aussi peu gourmand qu'une ampoule électrique, le mijoteur permet de transformer la moins chère des viandes (et donc la plus coriace) en un mets fondant, grâce à son mode de cuisson extrêmement lent. Essayez le porc braisé à la ratatouille (page 74) ou les travers de porc laqués (page 90).

Le mijoteur est également idéal pour confectionner des puddings. En effet, grâce au système de cuisson à l'étouffée (sans évaporation), il n'est plus nécessaire de remettre constamment à niveau l'eau du bain-marie.

Avec le mijoteur, vous pourrez réaliser facilement crèmes desserts, terrines et pâtés. Il vous sera précieux pour les réunions d'amis autour d'un punch ou d'un vin chaud, d'une fondue au fromage ou au chocolat. Il vous permettra aussi de réaliser en un tournemain des chutneys, du lemon curd et même de délicieux bouillons maison.

les tailles

Les mijoteurs existent en 3 tailles. Celle indiquée sur l'emballage fait généralement référence à la capacité effective de l'appareil :

- Pour 2 personnes, choisissez le petit modèle ovale, avec une capacité maximale de 1,5 litre et une capacité effective de 1 litre.
- Pour 4 personnes, optez pour le modèle intermédiaire rond ou ovale (plus polyvalent), d'une capacité totale de 3,5 litres et d'une capacité effective de 2,5 litres.
- Pour 6 personnes, vous aurez besoin du grand modèle ovale, d'une capacité totale de 5 litres pour une capacité effective de 4 litres, voire même du modèle extra-large, d'une capacité totale de 6,5 litres pour une capacité effective de 4,5 litres.

Aussi surprenant que cela puisse paraître, le modèle extra-large coûte à peine plus cher que le modèle moyen. On pourrait donc penser qu'il est plus intéressant. Mais, à moins d'avoir une grande famille à nourrir ou de cuisiner de grandes quantités (peut-être en vue de remplir le congélateur), vous découvrirez rapidement que ce modèle est trop grand pour une utilisation quotidienne. N'oubliez pas non plus qu'il faut remplir le faitout de l'appareil au moins jusqu'à mi-hauteur lorsqu'on cuisine de la viande, du poisson ou des légumes.

Le mijoteur ovale est le plus pratique, idéal notamment pour cuire un poulet entier, pour contenir un moule à pudding ou 4 petits moules individuels, ou pour préparer une grande soupe pour 6 personnes. Choisissez un modèle avec un voyant lumineux qui vous indiquera si la cuisson est terminée.

avant de commencer

Lisez le mode d'emploi avant d'utiliser votre mijoteur. Certains fabricants préconisent de préchauffer l'appareil à température élevée pendant au moins 20 minutes avant d'y mettre la préparation. D'autres recommandent de ne mettre l'appareil en marche que lorsqu'il est rempli.

comment remplir l'appareil

Un mijoteur doit obligatoirement contenir du liquide. Il doit être rempli au moins jusqu'à mi-hauteur. Essayez si possible de le remplir aux trois quarts. Par contre, si vous faites de la soupe, veillez à ce que le niveau soit au maximum à 2,5 cm du bord.

Un ragoût de viande ne doit pas occuper plus des deux tiers de l'espace. Si vous faites cuire une préparation au bain-marie, veillez à ce qu'il y ait un espace d'au moins 1,5 cm tout autour du moule, ou d'au moins 1 cm au niveau le plus étroit d'un faitout ovale.

les températures

Les mijoteurs ont 3 positions : « high » (température élevée), « low » (température basse) et « off » (arrêt). Certains ont une position intermédiaire, « medium » (température moyenne). En général, en position « high », la cuisson dure 2 fois moins longtemps qu'en position « low », notamment pour les viandes ou les légumes. Dans les deux positions (« high » et « low »), la température monte jusqu'à presque 100 °C au cours de la cuisson, mais avec la position élevée, cette température est atteinte plus rapidement.

Certains modèles permettent de programmer plusieurs fonctions avant de commencer la cuisson. Consultez le mode d'emploi de votre appareil pour plus de détails.

quelles préparations pour quelles températures ?

Voici quelques suggestions de préparations, selon les positions de cuisson.

« low »

- Ragoûts de viande ou de légumes
- Morceaux de poulet
- Soupes
- Desserts à base de crème
- Plats à base de riz
- Plats à base de poisson

« high »

- Puddings vapeur salés ou sucrés, ou des préparations sucrées avec un agent levant (farine à levure incorporée ou levure chimique)
- Pâtés ou terrines
- Poulet entier, pintade ou faisan, jambon fumé ou ½ épaule d'agneau

temps de cuisson

Toutes nos recettes proposent des temps de cuisson variables. La préparation sera cuite à point et prête à consommer au bout du temps le plus court mais supportera sans dommages 1 ou 2 heures de cuisson de plus, ce qui est bien pratique si vous êtes retenu au travail ou coincé dans un embouteillage.

Si vous souhaitez accélérer ou au contraire réduire le temps de cuisson d'un ragoût de viande ou de légumes, adaptez la température et la durée en suivant le tableau ci-dessous.

Low	Medium	High
6 à 8 heures	4 à 6 heures	3 à 4 heures
8 à 10 heures	6 à 8 heures	5 à 6 heures
10 à 12 heures	8 à 10 heures	7 à 8 heures

(Ce tableau est un exemple de mode d'emploi. Reportez-vous à celui de votre appareil. Remarque : ne changez pas les temps de cuisson ni les températures pour un poisson, un rôti ou un plat à base de produits laitiers.)

première utilisation

Avant de commencer, posez l'appareil sur le plan de travail, là où il vous encombrera le moins, et assurez-vous que le cordon d'alimentation est enroulé à l'arrière. Il ne faut pas que ce dernier pende devant le plan de travail. L'extérieur de l'appareil chauffe en fonctionnant. Faites donc attention aux membres les plus jeunes de la famille et n'oubliez pas de mettre des gants de cuisine ou d'utiliser un torchon lorsque vous sortez le faitout de l'appareil. Posez le faitout sur un dessous-de-plat et servez.

Si votre modèle possède un couvercle avec un trou d'évacuation, veillez à ne pas poser l'appareil sous un placard en hauteur car vous risqueriez de vous brûler à la vapeur en tendant le bras pour prendre quelque chose dans le placard.

Vérifiez toujours que le rôti, le moule du pudding ou du soufflé, ou encore les ramequins individuels tiennent dans le faitout avant de vous lancer dans une recette, afin d'éviter toute contrariété.

préparez les aliments

la viande

Coupez la viande en morceaux réguliers qui cuiront uniformément. Faites dorer les morceaux de viande dans une poêle avant de les mettre dans le faitout.

Versez du bouillon ou de la sauce bouillante dans le faitout puis enfoncez les aliments sous le niveau de liquide avant d'entamer la cuisson.

On peut cuire une pintade entière, un faisan, une pièce de jambon ou ½ épaule d'agneau dans un mijoteur ovale, mais il faut s'assurer au préalable que le faitout ne sera pas rempli au-delà des deux tiers de sa hauteur. Recouvrez les aliments de liquide bouillant et faites cuire à température élevée. Vérifiez la cuisson, soit avec un thermomètre à viande, soit en piquant une brochette dans la partie la plus épaisse du morceau de viande : si le jus qui s'écoule est clair, c'est qu'il est cuit.

Astuce

Quand le mijoteur chauffe, la vapeur crée un joint étanche juste sous le couvercle. Chaque fois que vous soulevez celui-ci, ajoutez 20 minutes de cuisson.

les légumes

Les légumes-racines peuvent (étonnamment) mettre plus de temps à cuire que la viande. Si vous ajoutez des légumes à un plat de viande, détaillez-les en morceaux plus petits que ceux de viande. Les morceaux doivent être réguliers pour qu'ils cuisent uniformément. Enfoncez les légumes et la viande sous le niveau du liquide avant de démarrer la cuisson.

Vous pouvez mixer soupes et potages dans le faitout, avec un mixeur plongeur.

le poisson

Pour un poisson entier (environ 500 g) ou détaillé en morceaux, choisissez la cuisson douce afin d'éviter la surcuisson ou le morcellement de la chair. Pour que le poisson cuise uniformément, assurez-vous qu'il est complètement immergé dans le liquide.

Ajoutez les coquillages 15 minutes avant la fin de la cuisson et enclenchez la température élevée. Le poisson surgelé doit être complètement décongelé, rincé à l'eau froide et épongé avant de commencer la préparation.

Astuce

Votre mijoteur vous offre bien plus que la réalisation d'un ragoût. Essayez les soupes, les puddings vapeur, les crèmes desserts et même les gâteaux, les chutneys et les conserves.

les pâtes

Mieux vaut cuire les pâtes séparément et les mélanger à la préparation juste avant de servir. Les petites pâtes telles que les vermicelles ou les coquillettes peuvent être ajoutées à la soupe 30 à 45 minutes avant la fin de la cuisson.

Pour accélérer la cuisson vous pouvez, au préalable, faire tremper les pâtes dans de l'eau bouillante, comme dans la recette des macaronis au haddock (page 132).

le riz

Choisissez du riz à cuisson rapide. Il convient bien à votre mijoteur, car il a été précuit et débarrassé de l'amidon, ce qui le rend moins collant.

Pour la cuisson du riz, prévoyez un minimum de 250 ml d'eau pour 100 g de riz à cuisson rapide, et jusqu'à 500 ml pour le riz à risotto.

les légumes secs

Il est impératif de faire tremper les légumes secs une nuit entière dans une grande quantité d'eau froide. Égouttez-les et mettez-les dans une casserole d'eau fraîche. Portez à ébullition et laissez bouillir 10 minutes. Égouttez ou non les légumes avant de les mettre dans le mijoteur, en vous référant à la recette.

L'orge perlé et les lentilles – rouges ou vertes du Puy – ne nécessitent pas une nuit de trempage. En cas de doute, suivez les conseils d'utilisation mentionnés sur l'emballage du produit.

la crème et le lait

En général, la crème et le lait ne sont intégrés en début de cuisson que pour la préparation de riz au lait ou de desserts comme une crème caramel, une crème renversée, un flan, etc. Si vous faites une préparation directement dans le faitout de l'appareil plutôt que dans un moule, utilisez du lait entier, qui aura moins tendance à se séparer.

Si vous devez ajouter du lait à un potage, faites-le tout à la fin, après l'avoir mixé. Si vous devez ajouter de la crème à un potage, incorporez-la 15 minutes avant la fin de la cuisson.

épaississez un ragoût

Comme dans le mode de cuisine conventionnel, vous avez le choix : soit vous ajoutez la farine après que la viande ou les oignons ont coloré dans la poêle, soit vous délayez de la fécule de maïs avec un peu d'eau et vous l'incorporez à la préparation 30 à 60 minutes avant la fin de la cuisson.

adaptez vos propres recettes

Si vous souhaitez adapter votre recette favorite à la cuisson au mijoteur, cherchez parmi les recettes de ce livre celle qui, en de qui concerne l'ingrédient principal, s'en approche le plus. Vous aurez ainsi une indication sur la quantité des ingrédients et le temps de cuisson. La cuisson dans un mijoteur est tellement douce que vous serez sans doute surpris de la faible quantité des ingrédients de liquide nécessaire. Aussi, nous vous conseillons de commencer par mettre la moitié du liquide chaud et d'augmenter sa quantité si c'est nécessaire, de manière à juste couvrir la préparation. S'il y a des tomates fraîches dans votre recette, elles libéreront du jus pendant la cuisson ; vous pouvez donc d'office réduire la quantité de liquide.

Astuce
Que les ingrédients aient été, au préalable, saisis ou non, assurez-vous que le liquide que vous ajoutez dans le faitout est toujours bouillant.

Dans votre mijoteur, la vapeur se condense sous le couvercle et retombe dans le faitout. La préparation ne risque donc pas de se dessécher. Si vous avez sous-estimé la quantité de liquide nécessaire, ajoutez un peu de bouillon ou d'eau vers la fin de la cuisson pour rétablir le niveau.

Sauf s'il s'agit d'une cuisson au bain-marie, il est généralement préférable d'incorporer la crème ou le lait en fin de cuisson. Le riz au lait et le porridge sont deux exceptions à cette règle. Utilisez du lait entier pour ces préparations. Reportez-vous aux recettes de ce livre.

Lorsque vous adaptez une recette, n'oubliez pas que :

- Les plats cuisinés au mijoteur doivent comporter une quantité de liquide.
- Le mijoteur ne peut pas dorer les mets : il faut donc les rissoler à la poêle au préalable, ou passer le faitout sous le gril.

adaptez les recettes à la capacité de votre mijoteur

Toutes les recettes de ce livre ont été testées sur un mijoteur standard d'une capacité totale de 3,5 litres, soit 4 portions. Vous avez peut-être le modèle d'une capacité de 5 litres soit 6 portions, ou le petit modèle d'une capacité de 1,5 litre soit 2 portions. Il suffit pour le petit modèle de réduire les ingrédients de moitié, et de les augmenter de moitié pour le grand modèle, tout en conservant le même temps de cuisson dans les deux cas. Toutes les recettes préparées au bain-marie, dans un grand moule ou dans des ramequins individuels, demeurent inchangées, quelle que soit la taille du mijoteur.

congelez

La plupart des potages et ragoûts se congèlent sans problèmes. Pensez à congeler des portions individuelles si vous êtes juste deux ou célibataire. Doubler ou quadrupler les proportions vous prendra peu de temps mais vous en fera gagner beaucoup quand vous n'aurez plus qu'à sortir votre petit plat du congélateur. Mettez vos portions à décongeler 1 nuit au réfrigérateur ou 4 heures à température ambiante. Réchauffez-les doucement dans une casserole ou au micro-ondes.

Astuce
Pour sortir facilement un moule chaud de votre mijoteur, bricolez une poignée : prenez 2 longues bandes de papier d'aluminium, repliez-les plusieurs fois pour obtenir 2 longues lanières plates, disposez-les en croix, posez le moule au centre et réunissez les 4 pattes au-dessus du récipient. Alternative : on peut trouver dans le commerce des filets destinés à cet usage. Choisissez la taille qui peut contenir un moule de 1,25 litre.

Si vous utilisez des produits congelés, ils doivent être totalement décongelés avant d'être cuisinés dans le mijoteur. Seuls les petits pois et le maïs doux échappent à cette règle. Les produits crus congelés qui ont été décongelés et cuits dans le mijoteur peuvent être recongelés.

l'entretien du mijoteur

Si vous en prenez soin, votre mijoteur vous servira longtemps. Grâce à son système de chaleur douce, le mijoteur ne risque pas d'être abîmé par des graisses brûlées, comme celles qui s'incrustent dans une poêle à frire par exemple. Pour le nettoyer, sortez le faitout de son logement, remplissez-le d'eau chaude savonneuse et laissez-le tremper quelques heures. Vous pouvez être tenté de le mettre au lave-vaisselle, mais il y sera très encombrant. Consultez le mode d'emploi de votre appareil, car il arrive que le faitout ne puisse pas être lavé en machine.

Avant de le nettoyer, laissez refroidir l'appareil, éteignez-le et débranchez-le. Passez un torchon humide sur les parois intérieures. Passez un torchon de cuisine sur l'extérieur et les commandes de l'appareil. Polissez-le avec un chiffon doux. S'il est chromé, utilisez un spray multisurface. **Ne plongez jamais l'appareil dans l'eau pour le nettoyer**. Assurez-vous qu'il est complètement froid avant de le ranger dans un placard.

soupes, haricots, saucisses, etc.

porridge banane-cannelle

Préparation **5 minutes**
Température de cuisson **basse**
Cuisson **1 à 2 heures**
Pour **4 personnes**

600 ml d'**eau** bouillante
300 ml de **lait UHT**
150 g de **flocons d'avoine**
2 **bananes** en rondelles
4 c. à s. de **sucre de canne blond** ou **roux**
¼ de c. à c. de **cannelle en poudre**

Préchauffez le mijoteur si nécessaire (consultez le mode d'emploi de votre appareil). Versez l'eau bouillante et le lait dans le faitout du mijoteur. Ajoutez les flocons d'avoine et remuez.

Posez le couvercle et faites cuire 1 heure pour un porridge « fluide » et 2 heures pour un porridge « épais », à température basse.

Répartissez le porridge dans des bols. Décorez avec des rondelles de banane. Saupoudrez de sucre et de cannelle.

Pour un muesli épicé, suivez la recette ci-dessus, en ajoutant 175 g de muesli. Quand le porridge est cuit, incorporez ¼ de cuillerée à café de cannelle en poudre. Répartissez la préparation dans des bols et décorez avec 100 g d'abricots secs coupés en petits morceaux. Avant de servir, arrosez de 2 cuillerées à soupe de miel.

œufs en cocotte au saumon

Préparation **10 minutes**
Température de cuisson **élevée**
Cuisson **40 à 45 minutes**
Pour **4 personnes**

25 g de **beurre**
4 **œufs**
4 c. à s. de **crème fraîche**
2 c. à c. de **ciboulette** ciselée
1 c. à c. d'**estragon** ciselé
sel et **poivre**
200 g de **saumon fumé** coupé en morceaux
4 quartiers de **citron** pour décorer
4 tranches de **pain grillé** pour servir

Préchauffez le mijoteur si nécessaire (consultez le mode d'emploi de votre appareil). Beurrez généreusement 4 ramequins en porcelaine à feu d'une contenance de 150 ml. Cassez 1 œuf dans chaque ramequin.

Versez la crème sur les œufs puis parsemez de fines herbes ciselées. Salez et poivrez légèrement. Déposez les ramequins dans le faitout du mijoteur. Versez de l'eau bouillante dans le faitout, jusqu'à mi-hauteur des ramequins.

Posez le couvercle (inutile de recouvrir les ramequins de papier d'aluminium). Faites cuire à température élevée pendant 40 à 45 minutes, jusqu'à ce que le blanc soit pris et que le jaune soit encore un peu liquide.

Sortez délicatement les ramequins du faitout, avec un torchon de cuisine. Posez-les sur des assiettes et servez, avec le saumon fumé, quelques quartiers de citron et des triangles de pain grillé.

Pour des œufs en cocotte piquants, cassez les œufs dans les ramequins beurrés. Nappez chaque œuf avec 1 cuillerée à soupe de crème fraîche. Ajoutez quelques gouttes de Tabasco puis salez et poivrez légèrement. Parsemez de coriandre ciselée et faites cuire comme ci-dessus. Servez avec du pain grillé et des fines tranches de pastrami (bœuf en saumure).

saucisses de Francfort et haricots

Préparation **15 minutes**
Température de cuisson **basse**
Cuisson **9 à 10 heures** ou toute une nuit
Pour **4 personnes**

1 c. à s. d'**huile de tournesol**
1 **oignon** haché
½ c. à c. de **paprika fumé** (pimentón)
820 g de **haricots blancs à la sauce tomate** en boîte
2 c. à c. de **moutarde à l'ancienne**
2 c. à s. de **sauce Worcestershire**
6 c. à s. de **bouillon de légumes**
2 **tomates** coupées en gros morceaux
½ **poivron rouge** épépiné et coupé en dés
sel et **poivre**
350 g de **saucisses de Francfort** coupées en gros tronçons
pain grillé beurré pour servir

Préchauffez le mijoteur si nécessaire (consultez le mode d'emploi de votre appareil). Faites chauffer l'huile dans une poêle. Faites-y revenir l'oignon 5 minutes, en remuant, jusqu'à ce qu'il soit doré.

Ajoutez le paprika fumé, faites chauffer 1 minute puis ajoutez les haricots, la moutarde, la sauce Worcestershire et le bouillon de légumes. Portez à ébullition puis ajoutez les tomates et le poivron. Salez et poivrez légèrement.

Disposez les saucisses dans le fond du faitout du mijoteur. Versez la préparation aux haricots sur les saucisses. Posez le couvercle et faites cuire 9 à 10 heures à feu doux, ou jusqu'au lendemain.

Remuez soigneusement, répartissez le mélange dans des bols et servez, avec des languettes de pain grillé beurrées.

Pour une version pimentée, ajoutez à la préparation ½ cuillerée à café de piment rouge séché émietté, ¼ de cuillerée à café de graines de cumin grossièrement pilées dans un mortier et 1 pincée de cannelle en poudre, en même temps que le paprika fumé. Supprimez la moutarde et la sauce Worcestershire, puis poursuivez comme ci-dessus, avec les haricots, le bouillon, les tomates, le poivron et les saucisses. Faites cuire 9 à 10 heures à température basse.

thé vanillé aux pruneaux et aux figues

Préparation **5 minutes**
Température de cuisson **basse**
Cuisson **8 à 10 heures**
Pour **4 personnes**

1 sachet de **thé Breakfast**
600 ml d'**eau** bouillante
150 g de **figues sèches**
150 g de **pruneaux** dénoyautés
75 g de **sucre en poudre**
1 c. à c. d'**extrait de vanille**
le **zeste** de ½ **orange**

Pour servir
yaourt nature
muesli

Préchauffez le mijoteur si nécessaire (consultez le mode d'emploi de votre appareil). Mettez le sachet de thé dans un pot ou dans une théière. Versez l'eau bouillante sur le sachet et laissez infuser 2 à 3 minutes. Sortez le sachet puis versez le thé dans le faitout du mijoteur.

Plongez les figues et les pruneaux entiers dans le thé puis ajoutez le sucre et l'extrait de vanille. Parsemez de zeste d'orange et mélangez. Posez le couvercle et faites cuire 8 à 10 heures à température basse.

Servez la préparation bien chaude, avec 1 cuillerée de yaourt nature et 1 pincée de muesli.

Pour une variante à l'orange et aux abricots secs, versez 300 g d'abricots secs, 50 g de sucre en poudre, 300 ml d'eau bouillante et 150 ml de jus d'orange dans le faitout du mijoteur. Couvrez et faites cuire comme ci-dessus.

chipolatas aux pommes de terre

Préparation **20 minutes**
Température de cuisson **basse**
Cuisson **9 à 10 heures**
Pour **4 personnes**

1 c. à s. d'**huile de tournesol**
12 **chipolatas aux fines herbes** (environ 400 g au total)
1 **oignon** émincé
500 g de **pommes de terre** pelées et coupées en dés de 2,5 cm de côté
375 g de **tomates** coupées en gros morceaux
125 g de **boudin noir** pelé et coupé en morceaux
250 ml de **bouillon de légumes**
2 c. à s. de **sauce Worcestershire**
1 c. à c. de **moutarde forte**
2 ou 3 brins de **thym** + quelques brins pour décorer
sel et **poivre**

Pour servir
quelques tranches de **pain blanc** (facultatif)
4 **œufs pochés** (facultatif)

Préchauffez le mijoteur si nécessaire. Faites chauffer l'huile dans une poêle. Faites-y dorer les chipolatas, sur un côté. Retournez-les et ajoutez l'oignon. Faites revenir en remuant. Les saucisses doivent être dorées mais pas complètement cuites.

Mettez les pommes de terre, les tomates et le boudin dans le faitout du mijoteur. Transférez les chipolatas et l'oignon dans le faitout. Enlevez le gras de la poêle puis versez-y le bouillon de légumes, la sauce Worcestershire et la moutarde. Effeuillez le thym et ajoutez les feuilles dans la poêle. Salez et poivrez.

Portez à ébullition puis versez ce mélange dans le faitout. Appuyez sur les pommes de terre pour qu'elles soient immergées. Couvrez et faites cuire 9 à 10 heures à température basse. Remuez avant de servir et décorez avec des brins de thym. Servez avec quelques tranches de pain blanc ou 1 œuf poché.

Pour une version végétarienne, faites revenir dans l'huile 400 g de saucisses végétariennes avec 1 oignon haché, comme ci-dessus. Mettez les pommes de terre et les tomates dans le faitout du mijoteur. Remplacez le boudin par 125 g de champignons de Paris coupés en deux. Faites chauffer le bouillon dans la poêle, avec la moutarde et le thym, et remplacez la sauce Worcestershire par 1 cuillerée à soupe de concentré de tomate. Salez et poivrez, puis versez cette préparation sur les saucisses végétariennes, dans le faitout. Couvrez et faites cuire comme ci-dessus.

soupe de haricots rouges

Préparation **25 minutes**
+ 1 nuit de trempage
Température de cuisson
basse
Cuisson **8 h 30 à 10 h 30**
Pour **6 personnes**

125 g de **haricots rouges secs,** trempés toute une nuit dans de l'eau froide
2 c. à s. d'**huile de tournesol**
1 gros **oignon** haché
1 **poivron rouge** épépiné et coupé en morceaux
1 **carotte** coupée en dés
1 grosse **pomme de terre** coupée en dés
2 ou 3 gousses d'**ail** hachées (facultatif)
2 c. à c. d'**épices cajun** ou ½ à 1 c. à c. de **piment en poudre**
400 g de **tomates concassées** en boîte
1 c. à s. de **sucre roux**
sel et **poivre**
1 litre de **bouillon de légumes** chaud
50 g de **gombo** émincé
50 g de **haricots verts** coupés en morceaux

Préchauffez le mijoteur si nécessaire. Égouttez et rincez les haricots mis à tremper. Versez-les dans une cocotte puis recouvrez-les d'eau froide. Portez à ébullition. Laissez bouillir à gros bouillons pendant 10 minutes puis égouttez.

Faites chauffer l'huile dans une grande poêle. Faites-y fondre l'oignon 5 minutes, en remuant. Ajoutez le poivron, la carotte, la pomme de terre et l'ail. Poursuivez la cuisson 2 à 3 minutes. Ajoutez les épices cajun, les tomates et le sucre. Salez et poivrez. Portez à ébullition.

Transvasez cette préparation dans le faitout du mijoteur, ajoutez les haricots égouttés et le bouillon de légumes chaud. Mélangez, couvrez et faites cuire 8 à 10 heures à température basse.

Ajoutez le gombo et les haricots verts, remettez le couvercle et poursuivez la cuisson 30 minutes. Répartissez cette soupe dans des bols. Proposez du pain croustillant en accompagnement.

Pour une soupe hongroise au paprika et aux haricots rouges, préparez la soupe comme ci-dessus, mais remplacez les épices cajun par 1 cuillerée à café de paprika fumé. Faites cuire comme ci-dessus, sans ajouter le gombo et les haricots verts en fin de cuisson. Mixez le tout et allongez éventuellement avec un peu d'eau bouillante. Servez la soupe dans des bols, décorée de 2 cuillerées à soupe de crème aigre et de graines de carvi.

haricots noirs en ragoût

Préparation **30 minutes**
Température de cuisson **basse**
Cuisson **8 à 10 heures**
Pour **4 à 6 personnes**

250 g de **haricots noirs secs,** trempés toute une nuit dans de l'eau froide
2 c. à s. d'**huile d'olive**
1 gros **oignon** haché
2 **carottes** coupées en dés
2 branches de **céleri** émincées
2 ou 3 gousses d'**ail** pilées
1 c. à c. de **graines de fenouil** broyées
1 c. à c. de **graines de cumin** broyées
2 c. à c. de **graines de coriandre** broyées
1 c. à c. de **piment en poudre** ou de **paprika fumé** (pimentón)
400 g de **tomates concassées** en boîte
300 ml de **bouillon de légumes**
1 c. à s. de **sucre roux**
sel et **poivre**
150 g de **crème aigre** ou de **yaourt nature** (facultatif)
riz cuit ou **pain croustillant** pour servir

Préchauffez le mijoteur si nécessaire. Égouttez et rincez les haricots mis à tremper. Versez-les dans une cocotte puis recouvrez-les d'eau froide. Portez à ébullition. Laissez bouillir à gros bouillons pendant 10 minutes puis égouttez.

Pendant ce temps, faites chauffer l'huile d'olive dans une cocotte. Faites-y blondir l'oignon 5 minutes, en remuant sans cesse. Ajoutez les carottes, le céleri et l'ail, et poursuivez la cuisson 2 à 3 minutes. Ajoutez les graines de fenouil, de cumin et de coriandre, ainsi que le piment en poudre. Faites cuire encore 1 minute.

Ajoutez les tomates, le bouillon de légumes, le sucre et un peu de poivre. Portez à ébullition puis versez le tout dans le faitout du mijoteur. Ajoutez les haricots en veillant à ce qu'ils soient immergés. Posez le couvercle et faites cuire à température basse pendant 8 à 10 heures.

Salez selon votre goût. Déposez des cuillerées de crème aigre ou de yaourt sur la préparation. Servez ce ragoût avec de la salsa à l'avocat (voir ci-dessous) et du riz ou du pain croustillant.

Pour préparer une salsa à l'avocat à servir en accompagnement, coupez 1 avocat en deux, dénoyautez-le et retirez la peau. Coupez la chair en dés. Mélangez les dés d'avocat avec le zeste râpé et le jus de 1 citron vert. Ajoutez ½ oignon rouge haché finement, 2 tomates coupées en morceaux et 2 cuillerées à soupe de feuilles de coriandre ciselées. Préparez cette salsa environ 10 minutes avant de servir le ragoût.

bouillon de poulet aux nouilles

Préparation **10 minutes**
Température de cuisson **élevée**
Cuisson **5 h 20 à 7 h 30**
Pour **4 personnes**

1 **carcasse de poulet**
1 **oignon** coupé en quartiers
2 **carottes** émincées
2 branches de **céleri** émincées
1 **bouquet garni**
1,25 litre d'**eau** bouillante
sel et **poivre**
75 g de **vermicelles**
4 c. à s. de **persil** ciselé

Préchauffez le mijoteur si nécessaire (consultez le mode d'emploi de votre appareil). Déposez la carcasse de poulet dans le faitout du mijoteur, en la cassant en deux si nécessaire. Ajoutez l'oignon, les carottes, le céleri et le bouquet garni.

Versez l'eau bouillante dans le faitout. Salez et poivrez légèrement. Posez le couvercle et faites cuire à température élevée pendant 5 à 7 heures.

Filtrez le bouillon à l'aide d'un grand tamis puis reversez-le dans le faitout. S'il reste de la viande accrochée à la carcasse, détachez-la et ajoutez-la dans le faitout. Goûtez et rectifiez l'assaisonnement. Ajoutez les pâtes et faites cuire encore 20 à 30 minutes à température élevée, jusqu'à ce que les vermicelles soient juste cuits. Parsemez de persil et servez dans de grands bols. Proposez du pain chaud en accompagnement.

Pour une soupe de poulet aux petits pois et à la menthe, préparez le bouillon de base comme ci-dessus, filtrez-le puis reversez-le dans le faitout. Ajoutez 200 g de poireau émincé, 375 g de petits pois et 1 petit bouquet de menthe. Couvrez et faites cuire à température élevée pendant 30 minutes. Mixez la préparation puis incorporez 150 g de mascarpone. Répartissez la soupe dans des bols, décorez de feuilles de menthe et servez.

timbales de saumon fumé

Préparation **30 minutes**
+ refroidissement
Température de cuisson **basse**
Cuisson **3 heures à 3 h 30**
Pour **4 personnes**

beurre pour les moules
200 ml de **crème fraîche entière**
4 **jaunes d'œufs**
le **zeste** râpé et le **jus** de ½ **citron**
sel et **poivre**
1 petit bouquet de **basilic**
100 g de **saumon fumé** coupé en morceaux
quelques **quartiers de citron** pour décorer

Préchauffez le mijoteur si nécessaire (consultez le mode d'emploi de votre appareil). Beurrez 4 petits moules en métal de 150 ml. Posez un morceau de papier sulfurisé dans le fond de chaque moule.

Versez la crème fraîche dans un bol. À l'aide d'un fouet, incorporez progressivement les jaunes d'œufs. Ajoutez le zeste et le jus de citron, du sel et du poivre. Hachez la moitié du basilic ainsi que 75 g de saumon fumé, puis ajoutez-les à la crème fraîche.

Répartissez ce mélange dans les moules beurrés. Déposez les moules dans le faitout du mijoteur. Versez de l'eau bouillante dans le faitout, jusqu'à mi-hauteur des moules. Couvrez et faites cuire 3 heures à 3 h 30 à température basse.

Sortez les moules du mijoteur. Laissez refroidir à température ambiante. Placez les moules dans le réfrigérateur et laissez reposer au moins 4 heures.

Démoulez chaque timbale sur une assiette. Avec un couteau, lissez les aspérités. Retirez le papier sulfurisé. Décorez avec un morceau de saumon fumé, une ou deux feuilles de basilic et quelques quartiers de citron.

Pour des timbales au maquereau fumé, remplacez le basilic par 3 cuillerées à soupe de ciboulette ciselée et ½ cuillerée à café de raifort râpé, et le saumon fumé par 75 g de filets de maquereau fumé sans la peau, émiettés. Poursuivez comme ci-dessus. Servez ces timbales avec une salade verte.

velouté de patate douce au gingembre

Préparation **30 minutes**
Température de cuisson **basse** et **élevée**
Cuisson **6 h 15 à 8 h 15**
Pour **6 personnes**

1 c. à s. d'**huile d'olive**
1 **oignon** haché
2 gousses d'**ail** hachées finement
1 c. à c. de **graines de fenouil** pilées
4 cm de **gingembre frais** pelé et haché finement
900 ml de **bouillon de légumes**
sel et **poivre**
500 g de **patates douces** coupées en dés
150 g de **lentilles rouges**
300 ml de **lait entier**
naan chaud pour servir (pain indien)

Pour décorer
2 c. à s. d'**huile d'olive**
1 **oignon** émincé
1 c. à c. de **graines de fenouil** pilées
½ c. à c. de **cumin en poudre**
¼ de c. à c. de **curcuma en poudre**
1 c. à c. de **sucre en poudre**

Préchauffez le mijoteur si nécessaire (consultez le mode d'emploi de votre appareil). Faites chauffer l'huile d'olive dans une grande poêle. Faites-y revenir l'oignon 5 minutes, en remuant. Ajoutez l'ail, les graines de fenouil et le gingembre, et poursuivez la cuisson 2 minutes. Versez le bouillon de légumes, salez, poivrez et portez à ébullition.

Mettez les dés de patate douce et les lentilles dans le faitout du mijoteur. Versez le bouillon parfumé chaud, couvrez et faites cuire 6 à 8 heures à température basse.

Mixez la préparation puis reversez la soupe dans le faitout. Ajoutez le lait et faites cuire encore 15 minutes, à température élevée.

Pendant ce temps, préparez la garniture. Faites chauffer l'huile d'olive dans une poêle puis faites-y fondre l'oignon 10 minutes à feu doux, en remuant. Ajoutez les épices et le sucre puis augmentez légèrement le feu et faites dorer 5 minutes.

Répartissez le velouté dans des bols. Décorez avec l'oignon aux épices. Servez du naan chaud en accompagnement.

ragoût de pommes de terre

Préparation **20 minutes**
Température de cuisson **basse**
Cuisson **9 à 10 heures**
Pour **4 personnes**

750 g de **pommes de terre** coupées en lamelles
25 g de **beurre**
1 c. à s. d'**huile de tournesol**
2 **oignons** hachés grossièrement
250 g de **poitrine fumée** coupée en dés
1 **pomme** sans le trognon, coupée en tranches
2 c. à s. de **farine ordinaire**
sel et **poivre**
450 ml de **bouillon de poule**
2 c. à c. de **moutarde forte**
2 feuilles de **laurier**
50 g de **fromage râpé**

Préchauffez le mijoteur si nécessaire. Portez une grande cocotte d'eau à ébullition. Plongez-y les pommes de terre et faites cuire 3 minutes. Égouttez.

Faites chauffer le beurre et l'huile dans une poêle. Faites-y revenir les oignons et les lardons 5 minutes, en remuant. Ajoutez les tranches de pomme et la farine. Salez et poivrez.

Rangez les tranches de pomme de terre et la préparation aux oignons dans le faitout du mijoteur, en alternant les couches et en finissant par une couche de pommes de terre. Portez le bouillon de poule et la moutarde à ébullition dans la poêle. Versez le bouillon dans le faitout. Ajoutez le laurier, couvrez et faites cuire 9 à 10 heures à température basse.

Répartissez le fromage râpé sur les pommes de terre, sortez le faitout de l'appareil puis glissez-le quelques instants sous le gril du four. Servez dans des assiettes creuses, accompagné de moitiés de tomate grillées et parsemées de ciboulette ciselée.

Pour un ragoût au poulet et au cidre, faites blanchir les pommes de terre comme ci-dessus. Faites revenir les oignons avec 125 g de poitrine fumée et 4 hauts-de-cuisses de poulet désossés. Ajoutez les tranches de pomme, la farine, du sel et du poivre. Rangez les pommes de terre et la préparation au poulet dans le faitout du mijoteur. Faites chauffer 300 ml de bouillon avec 150 ml de cidre sec et 2 cuillerées à café de moutarde forte. Poursuivez comme ci-dessus.

caldo verde

Préparation **20 minutes**
Température de cuisson
basse et **élevée**
Cuisson **6 h 15 à 8 h 20**
Pour **6 personnes**

2 c. à s. d'**huile d'olive**
2 **oignons** hachés
2 gousses d'**ail** pilées
150 g de **chorizo** sans la peau, coupé en morceaux
625 g de **pommes de terre** coupées en dés de 1 cm de côté
1 c. à c. de **paprika fumé** (pimentón)
1,2 litre de **bouillon de poule** chaud
sel et **poivre**
125 g de **chou vert** taillé en lanières

Préchauffez le mijoteur si nécessaire (consultez le mode d'emploi de votre appareil). Faites chauffer l'huile d'olive dans une grande poêle. Faites-y revenir les oignons 5 minutes en remuant, jusqu'à ce qu'ils soient légèrement dorés. Ajoutez l'ail, le chorizo, les pommes de terre et le paprika, et poursuivez la cuisson 2 minutes.

Transvasez le mélange dans le faitout du mijoteur. Versez le bouillon de poule, salez et poivrez. Posez le couvercle et faites cuire 6 à 8 heures à température basse.

Ajoutez le chou, remettez le couvercle et faites cuire encore 15 à 20 minutes à température élevée, jusqu'à ce que le chou soit fondant. Répartissez la soupe dans des bols. Servez éventuellement du pain chaud et croustillant en accompagnement.

Pour une variante au potiron, préparez la soupe comme ci-dessus, en réduisant la quantité de pommes de terre à 375 g et en ajoutant 250 g de potiron pelé et coupé en morceaux. Versez 900 ml de bouillon de poule dans le faitout et ajoutez 400 g de tomates concassées en boîte.

fondue au fromage à la bière

Préparation **15 minutes**
Température de cuisson **élevée**
Cuisson **40 minutes à 1 heure**
Pour **4 personnes**

15 g de **beurre**
2 **échalotes** ou ½ petit **oignon** finement hachés
1 gousse d'**ail** pilée
3 c. à c. de **fécule de maïs**
200 ml de **bière blonde**
200 g de **gruyère** râpé
175 g d'**emmental** râpé
noix de muscade râpée
sel et **poivre**

Pour servir
2 branches de **céleri** taillées en petits tronçons
8 petits **oignons blancs au vinaigre,** égouttés et coupés en deux
1 bouquet de **radis** paré
1 **poivron rouge** épépiné et coupé en morceaux
2 **endives** effeuillées
½ **baguette** coupée en petits morceaux

Préchauffez le mijoteur si nécessaire (consultez le mode d'emploi de votre appareil). Beurrez le faitout. Mettez-y les échalotes ou l'oignon et l'ail.

Versez la fécule de maïs dans un bol. Versez un filet de bière dans le bol pour délayer la fécule. Ajoutez ensuite le reste de bière. Versez le mélange dans le faitout, avec le gruyère, l'emmental, 1 pincée de noix de muscade, un peu de sel et de poivre.

Mélangez, posez le couvercle et faites cuire à température élevée 40 minutes à 1 heure, en remuant une fois en cours de cuisson. Fouettez avant de servir. Servez avec les petits légumes et des morceaux de pain à tremper présentés sur une assiette. N'oubliez pas les fourchettes à fondue (ou des fourchettes ordinaires).

Pour une fondue classique, remplacez la bière par 175 ml de vin blanc sec et 1 cuillerée à soupe de kirsch. Faites cuire comme ci-dessus et servez des petits morceaux de pain en accompagnement.

soupe aux pois chiches et au chorizo

Préparation **20 minutes**
Température de cuisson **basse**
Cuisson **6 à 8 heures**
Pour **4 personnes**

2 c. à s. d'**huile d'olive**
1 **oignon** haché
2 gousses d'**ail** pilées
150 g de **chorizo** sans la peau, coupé en petits morceaux
¾ de c. à c. de **paprika fumé** (pimentón)
2 ou 3 brins de **thym**
1 litre de **bouillon de poule**
1 c. à s. de **concentré de tomate**
sel et **poivre**
375 g de **patates douces** coupées en dés
410 g de **pois chiches** en boîte, égouttés
persil ciselé ou quelques brins de **thym** supplémentaires pour décorer

Préchauffez le mijoteur si nécessaire (consultez le mode d'emploi de votre appareil). Faites chauffer l'huile d'olive dans une poêle. Faites-y revenir l'oignon 5 minutes en remuant, jusqu'à ce qu'il commence à dorer.

Ajoutez l'ail et le chorizo, et poursuivez la cuisson 2 minutes. Ajoutez le paprika fumé, le thym, le bouillon de poule et le concentré de tomate. Portez à ébullition, en remuant, puis salez et poivrez légèrement.

Mettez les dés de patate douce ainsi que les pois chiches dans le faitout du mijoteur. Arrosez avec le bouillon chaud. Posez le couvercle et faites cuire 6 à 8 heures à feu doux.

Répartissez la soupe dans des bols, parsemez de persil ciselé ou de thym et servez éventuellement des pitas chaudes en accompagnement.

Pour une soupe à la tomate, aux pois chiches et au chorizo, préparez la soupe comme ci-dessus jusqu'au moment d'ajouter le paprika et le thym. Réduisez la quantité de bouillon à 750 ml puis versez-le dans la poêle, avec le concentré de tomate et 2 cuillerées à café de sucre roux. À la place des patates douces, mettez dans le faitout du mijoteur 500 g de tomates pelées et coupées en morceaux, en même temps que les pois chiches. Arrosez avec le bouillon et poursuivez comme ci-dessus.

terrine de canard aux noix

Préparation **45 minutes**
+ 1 nuit au réfrigérateur
Température de cuisson
élevée
Cuisson **5 à 6 heures**
Pour **6 personnes**

175 g de tranches de **poitrine fumée,** sans couenne
1 c. à s. d'**huile d'olive**
1 **oignon** haché
2 **travers de porc** désossés (environ 275 g au total)
2 **filets de canard** dégraissés (environ 375 g au total)
2 gousses d'**ail** pilées
3 c. à s. de **cognac**
75 g de **chapelure** fraîche
50 g de **tomates séchées conservées dans l'huile,** égouttées et hachées
3 **noix au vinaigre,** égouttées et hachées grossièrement
1 **œuf** battu
1 c. à s. de **grains de poivre vert,** broyés grossièrement
sel

Préchauffez le mijoteur si nécessaire. Posez les tranches de poitrine fumée sur une planche puis étirez-les à l'aide d'un couteau à large lame. Tapissez-en les parois et le fond d'un moule à soufflé de 15 cm de diamètre.

Faites chauffer l'huile d'olive dans une poêle. Faites-y revenir l'oignon 5 minutes, en remuant. Hachez finement la viande de porc et 1 filet de canard. Taillez l'autre filet en longues tranches bien fines. Réservez. Faites revenir la viande hachée et l'ail dans la poêle, pendant 3 minutes. Flambez la préparation avec le cognac.

Ajoutez les ingrédients restants. Mélangez puis versez la moitié de la farce dans le moule tapissé de poitrine fumée. Tassez bien. Disposez les tranches de canard sur la préparation puis versez le reste de farce. Repliez les tranches de poitrine sur le dessus. Recouvrez le tout de papier d'aluminium.

Posez le moule dans le faitout de l'appareil, sur une soucoupe retournée. Versez de l'eau bouillante jusqu'à mi-hauteur du moule. Couvrez et faites cuire 5 à 6 heures à température élevée.

Sortez le moule du faitout et posez-le sur une assiette. Retirez l'aluminium et remplacez-le par un morceau de papier sulfurisé. Posez une petite assiette sur le papier puis posez des poids sur l'assiette. Quand la terrine est froide, placez-la au réfrigérateur jusqu'au lendemain.

Démoulez la terrine. Coupez des tranches épaisses et servez.

soupe carotte-orange-fenouil

Préparation **25 minutes**
Température de cuisson **basse**
Cuisson **6 h 15 à 8 h 15**
Pour **4 personnes**

25 g de **beurre**
1 c. à s. d'**huile de tournesol**
1 gros **oignon** haché
1 c. à c. de **graines de fenouil,** broyées grossièrement
625 g de **carottes** coupées en petits morceaux
le **zeste** râpé et le **jus** de 1 **orange**
1 litre de **bouillon de légumes**
sel et **poivre**

Pour servir
8 c. à s. de **crème fraîche**
1 poignée de **croûtons**

Préchauffez le mijoteur si nécessaire. Faites chauffer le beurre et l'huile dans une poêle. Faites-y revenir l'oignon 5 minutes, en remuant.

Ajoutez les graines de fenouil et poursuivez la cuisson 1 minute, jusqu'à ce que le mélange embaume. Ajoutez les carottes et faites cuire encore 2 minutes. Ajoutez ensuite le zeste et le jus d'orange. Versez la préparation dans le faitout du mijoteur. Portez le bouillon à ébullition dans la poêle, salez et poivrez, puis versez-le dans le faitout. Couvrez et faites cuire 6 à 8 heures à température basse.

Mixez la préparation, si nécessaire en plusieurs fois, jusqu'à obtention d'un mélange velouté. Reversez la soupe dans le mijoteur. Vous pouvez la mixer directement dans le faitout avec un mixeur plongeur. Réchauffez éventuellement la soupe dans le mijoteur couvert, pendant 15 minutes.

Répartissez la soupe dans des bols, décorez avec un filet de crème fraîche et quelques croûtons. Servez bien chaud.

Pour une soupe marocaine aux épices, préparez la soupe comme ci-dessus, en remplaçant les graines de fenouil par 1 cuillerée à café de graines de coriandre broyées, 1 cuillerée à café de graines de cumin broyées, ½ cuillerée à café de paprika fumé (pimentón) et ½ cuillerée à café de curcuma. Supprimez le zeste et le jus d'orange, et incorporez 150 ml de lait avant de réchauffer la soupe.

viandes, volailles & gibier

jarrets d'agneau au genévrier

Préparation **15 minutes**
Température de cuisson **élevée**
Cuisson **5 à 7 heures**
Pour **4 personnes**

25 g de **beurre**
4 **jarrets d'agneau** (environ 1,5 kg)
2 petits **oignons rouges** coupés en quartiers
2 c. à s. de **farine ordinaire**
200 ml de **vin rouge**
450 ml de **bouillon d'agneau**
2 c. à s. de **sauce aux canneberges** (facultatif)
1 c. à s. de **concentré de tomate**
2 feuilles de **laurier**
1 c. à c. de **baies de genévrier,** broyées grossièrement
1 petit **bâton de cannelle** coupé en deux
le **zeste** paré de 1 petite **orange**
sel et **poivre**

Pour servir
purée de patate douce
haricots verts

Préchauffez le mijoteur si nécessaire (consultez le mode d'emploi de votre appareil). Faites fondre le beurre dans une poêle. Faites-y revenir les jarrets d'agneau à feu moyen, en les tournant jusqu'à ce qu'ils soient dorés de tous côtés. Égouttez-les et placez-les dans le faitout du mijoteur.

Faites revenir les oignons 4 à 5 minutes dans la poêle, jusqu'à ce qu'ils commencent à dorer. Ajoutez la farine. Versez progressivement le vin et le bouillon d'agneau, puis la sauce aux canneberges ainsi que les ingrédients restants. Portez à ébullition en remuant.

Transvasez la préparation dans le faitout du mijoteur, couvrez et faites cuire à température élevée pendant 5 à 7 heures. La viande doit se détacher des os. Si vous voulez une sauce épaisse, versez-la dans une casserole et faites-la bouillir 5 minutes, jusqu'à ce qu'elle ait réduit d'un tiers. Servez l'agneau avec une purée de patate douce et des haricots verts.

Pour des jarrets d'agneau au citron, faites revenir les jarrets d'agneau comme ci-dessus puis faites dorer 2 oignons blancs émincés. Ajoutez la farine puis versez 200 ml de vin blanc sec, le bouillon d'agneau, 4 cuillerées à café de graines de coriandre broyées grossièrement, les feuilles de laurier, le zeste paré de 1 citron et 2 cuillerées à café de miel. Assaisonnez puis portez à ébullition. Versez cette sauce sur la viande et faites cuire comme ci-dessus.

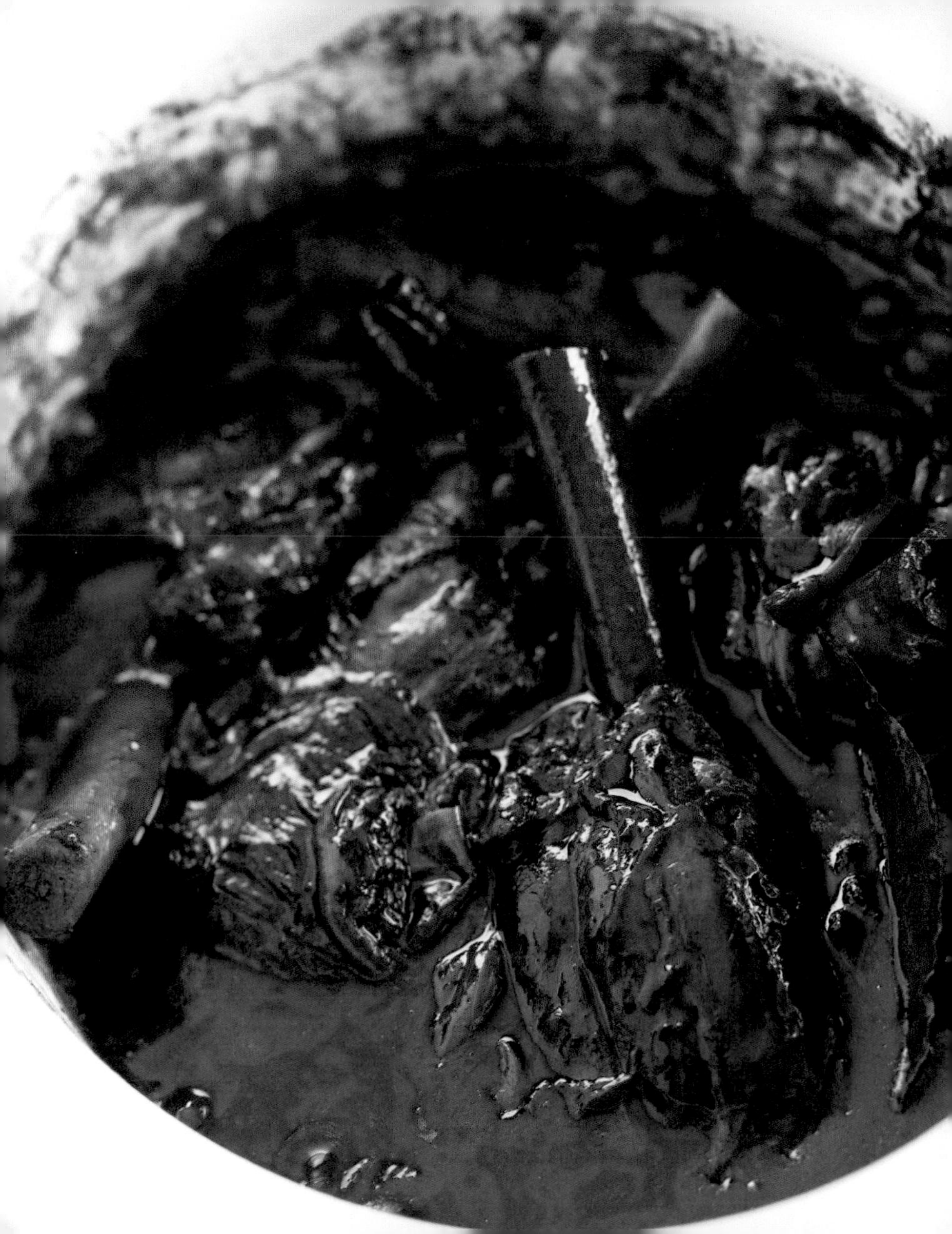

poulet thaï au curry vert

Préparation **20 minutes**
Température de cuisson **basse** et **élevée**
Cuisson **8 h 15 à 10 h 15**
Pour **4 personnes**

1 c. à s. d'**huile de tournesol**
2 c. à s. de **pâte de curry verte**
2 c. à c. de **pâte de galanga**
2 **piments verts thaïs,** épépinés et émincés
1 **oignon** haché finement
8 **hauts-de-cuisses de poulet** (environ 1 kg), sans la peau, désossés et coupés en morceaux
400 ml de **lait de coco entier**
150 ml de **bouillon de poule**
4 **feuilles de citronnier kaffir** séchées
2 c. à c. de **sucre de canne blond**
2 c. à c. de **nuoc-mâm**
100 g de **pois gourmands**
100 g de **haricots verts** coupés en deux
1 petit bouquet de **coriandre**

Préchauffez le mijoteur si nécessaire (consultez le mode d'emploi de votre appareil). Faites chauffer l'huile dans une poêle. Faites-y revenir la pâte de curry, le galanga et les piments verts pendant 1 minute.

Ajoutez l'oignon et le poulet, et faites cuire en remuant jusqu'à ce que le poulet commence à dorer. Versez le lait de coco et le bouillon de poule, puis ajoutez les feuilles de citronnier kaffir, le sucre et le nuoc-mâm. Portez à ébullition et remuez.

Transvasez la préparation dans le faitout du mijoteur, posez le couvercle et faites cuire à température basse pendant 8 à 10 heures.

Ajoutez les pois gourmands et les haricots verts, et faites cuire à température élevée pendant 15 minutes. Saupoudrez de coriandre ciselée et servez dans des bols. Proposez du riz en accompagnement.

Pour un poulet thaï au curry rouge, préparez le curry comme ci-dessus, en remplaçant la pâte de curry verte et les piments verts par 2 cuillerées à soupe de pâte de curry rouge et 2 gousses d'ail hachées finement. Faites cuire 8 à 10 heures comme ci-dessus. Supprimez les pois gourmands et les haricots verts. Répartissez la préparation dans des bols et parsemez de feuilles de coriandre ciselées.

ragoût de porc à l'orange

Préparation **20 minutes**
Température de cuisson **basse**
Cuisson **8 à 10 heures**
Pour **4 personnes**

1 c. à s. d'**huile de tournesol**
4 tranches de **filet de porc** (environ 700 g), chacune coupée en trois
1 **oignon** haché
2 c. à s. de **farine ordinaire**
450 ml de **bouillon de poule**
le **zeste** râpé et le **jus** de 1 **orange**
3 c. à s. de **sauce aux prunes**
2 c. à s. de **sauce soja**
3 ou 4 **étoiles d'anis**
1 **piment rouge frais** ou **séché,** coupé en deux (facultatif)
sel et **poivre**
le **zeste** râpé de 1 **orange**

Pour servir
purée de pomme de terre mélangée à des **légumes verts** vapeurr

Préchauffez le mijoteur si nécessaire (consultez le mode d'emploi de votre appareil). Faites chauffer l'huile dans une grande poêle. Faites-y revenir les morceaux de viande à feu vif, jusqu'à ce qu'ils soient dorés des deux côtés. Sortez les morceaux de viande de la poêle à l'aide d'une écumoire et posez-les sur une assiette.

Faites revenir l'oignon dans la poêle, 5 minutes en remuant, jusqu'à ce qu'il soit légèrement doré. Ajoutez la farine puis le bouillon de poule, le zeste et le jus d'orange, la sauce aux prunes, la sauce soja, l'anis étoilé et le piment. Salez et poivrez. Portez à ébullition, en remuant.

Mettez la viande dans le faitout du mijoteur. Arrosez avec la sauce. Posez le couvercle et faites cuire 8 à 10 heures à température basse. Saupoudrez de zeste d'orange râpé et servez. Proposez en accompagnement une purée de pomme de terre mélangée à des légumes verts cuits à la vapeur.

Pour un ragoût de porc à l'orange et au laurier, préparez le ragoût comme ci-dessus, mais remplacez la sauce aux prunes, la sauce soja, l'anis étoilé et le piment rouge par 2 feuilles de laurier, 2 cuillerées à café de sucre de canne blond et 1 cuillerée à soupe de vinaigre balsamique.

poulet à l'estragon

Préparation **15 minutes**
Température de cuisson **élevée**
Cuisson **3 à 4 heures**
Pour **4 personnes**

1 c. à s. d'**huile d'olive**
15 g de **beurre**
4 **blancs de poulet** (environ 650 g)
200 g d'**échalotes** coupées en deux
1 c. à s. de **farine ordinaire**
300 ml de **bouillon de poule**
4 c. à s. de **vermouth**
2 brins d'**estragon** + 1 pincée pour servir
sel et **poivre**
3 c. à s. de **crème fraîche**
1 c. à s. de **ciboulette** ciselée

Pour servir
pommes de terre grossièrement écrasées, mélangées à des **petits pois**

Préchauffez le mijoteur si nécessaire (consultez le mode d'emploi de votre appareil). Faites chauffer l'huile d'olive et le beurre dans une poêle. Faites-y revenir les blancs de poulet à feu vif, jusqu'à ce qu'ils soient dorés des deux côtés mais pas complètement cuits. Égouttez-les et disposez-les dans le faitout du mijoteur, sans les superposer.

Faites revenir les échalotes dans la poêle pendant 4 à 5 minutes, en remuant, jusqu'à ce qu'elles commencent à dorer. Versez la farine puis incorporez progressivement le bouillon de poule et le vermouth. Ajoutez les brins d'estragon, un peu de sel et de poivre, et portez à ébullition, en remuant constamment.

Versez cette sauce sur le poulet, posez le couvercle et faites cuire à température élevée pendant 3 à 4 heures.

Versez la crème fraîche dans la sauce et saupoudrez le poulet de 1 cuillerée à soupe d'estragon ciselé et de ciboulette. Servez en accompagnement des pommes de terre écrasées, mélangées à des petits pois.

Pour un poulet au pesto, préparez le plat comme ci-dessus, mais remplacez le vermouth par 4 cuillerées à soupe de vin blanc et l'estragon par 1 cuillerée à soupe de pesto. Saupoudrez le poulet de petites feuilles de basilic et d'un peu de parmesan râpé, à la place de la ciboulette. Servez les blancs de poulet coupés en fines lamelles, mélangés à des penne, le tout arrosé de sauce à la crème.

bœuf au piment et tortilla chips

Préparation **20 minutes**
Température de cuisson **basse**
Cuisson **8 à 10 heures**
Pour **4 personnes**

1 c. à s. d'**huile de tournesol**
500 g de **bœuf haché extra-maigre**
1 **oignon** haché
2 gousses d'**ail** pilées
1 c. à c. de **paprika fumé** (pimentón)
½ c. à c. de **piments rouges séchés,** pilés
1 c. à c. de **cumin en poudre**
1 c. à s. de **farine ordinaire**
400 g de **tomates concassées** en boîte
410 g de **haricots rouges** en boîte, égouttés
150 ml de **bouillon de bœuf**
1 c. à s. de **sucre roux**
sel et **poivre**

Garniture
100 g de **tortilla chips**
½ **poivron rouge** épépiné et coupé en petits morceaux
coriandre ciselée
100 g de **gruyère** râpé

Préchauffez le mijoteur si nécessaire (consultez le mode d'emploi de votre appareil). Faites chauffer l'huile dans une poêle. Faites-y dorer le bœuf haché et l'oignon 5 minutes, en émiettant la viande à l'aide d'une cuillère en bois.

Ajoutez l'ail, le paprika, les piments et le cumin, et poursuivez la cuisson 2 minutes. Versez la farine et remuez. Ajoutez les tomates, les haricots, le bouillon de bœuf et le sucre. Salez et poivrez, puis versez la préparation dans le faitout du mijoteur. Couvrez et faites cuire 8 à 10 heures à température basse.

Remuez la préparation puis disposez les tortilla chips sur le dessus. Parsemez les ingrédients restants sur le tout. Sortez le faitout de l'appareil avec des gants de cuisine et glissez-le sous le gril du four, jusqu'à ce que le fromage ait fondu. Répartissez la préparation dans des bols.

Pour des tortillas à la dinde et au guacamole, procédez comme ci-dessus, en remplaçant le bœuf par 500 g de dinde hachée. Au moment de servir, écrasez la chair de 1 avocat avec le jus de 1 citron vert, 1 petit bouquet de feuilles de coriandre ciselées, un peu de sel et de poivre. Répartissez la préparation sur 8 tortillas de blé réchauffées. Répartissez ensuite le guacamole et finissez avec 1 cuillerée à soupe de crème aigre par tortilla (facultatif). Enroulez les tortillas et servez.

porc au cidre et boulettes à la sauge

Préparation **25 minutes**
Température de cuisson **basse**
Cuisson **9 à 11 heures**
Pour **4 personnes**

1 c. à s. d'**huile de tournesol**
750 g de tranches de **filet de porc,** dégraissées et coupées en morceaux
1 **poireau** émincé, blanc et vert séparés
2 c. à s. de **farine ordinaire**
300 ml de **cidre sec**
300 ml de **bouillon de poule**
200 g de **carottes** coupées en morceaux
1 **pomme** coupée en morceaux
2 ou 3 brins de **sauge**
sel et **poivre**

Boulettes
150 g de **farine à levure incorporée**
75 g de **margarine végétale**
1 c. à s. de **sauge** ciselée
2 c. à s. de **persil** ciselé
sel et **poivre**
5 à 7 c. à s. d'**eau**

Préchauffez le mijoteur si nécessaire (consultez le mode d'emploi de votre appareil). Faites chauffer l'huile dans une poêle. Faites-y légèrement dorer les morceaux de viande à feu vif, en plusieurs fois. Disposez la viande dans le faitout du mijoteur.

Faites revenir le blanc de poireau dans la poêle, 2 à 3 minutes. Ajoutez la farine et remuez, puis versez progressivement le cidre et le bouillon de poule. Ajoutez les carottes, la pomme, la sauge, salez et poivrez. Portez à ébullition en remuant. Transvasez la préparation dans le faitout du mijoteur, couvrez et faites cuire 8 à 10 heures à température basse.

Préparez les boulettes. Mettez la farine, la margarine, la sauge, le persil, un peu de sel et de poivre dans un récipient. Mélangez puis incorporez de l'eau jusqu'à obtention d'une pâte lisse mais non collante. Farinez vos mains et façonnez 12 boulettes. Ajoutez le vert du poireau dans le faitout, avec la viande. Posez les boulettes sur le dessus. Couvrez et faites cuire environ 1 heure à température basse, jusqu'à ce que les boulettes aient bien gonflé. Servez dans des assiettes creuses.

Pour un porc à la bière et boulettes au romarin, préparez le ragoût comme ci-dessus, en remplaçant le cidre par 300 ml de bière blonde et les carottes et la pomme par un mélange de panais, de carottes et de rutabagas (300 g en tout) coupés en dés. Parfumez le mélange avec 2 brins de romarin à la place de la sauge. Quand vous préparez les boulettes, remplacez la sauge par 1 cuillerée à soupe de romarin ciselé.

poulet indien

Préparation **30 minutes**
Température de cuisson **basse**
Cuisson **5 à 7 heures**
Pour **4 personnes**

2 **oignons** coupés en quartiers
3 gousses d'**ail**
4 cm de **gingembre frais**
1 gros **piment rouge** épépiné
8 **hauts-de-cuisses de poulet,** sans la peau ni les os
1 c. à s. d'**huile de tournesol**
25 g de **beurre**
1 c. à c. de **graines de cumin** broyées
1 c. à c. de **graines de fenouil** broyées
4 **gousses de cardamome** écrasées
1 c. à c. de **paprika**
1 c. à c. de **curcuma en poudre**
¼ de c. à c. de **cannelle en poudre**
300 ml de **bouillon de poule**
1 c. à s. de **sucre roux**
2 c. à s. de **concentré de tomate**
sel
5 c. à s. de **crème fraîche**
amandes effilées grillées
quelques brins de **coriandre**

Préchauffez le mijoteur si nécessaire (consultez le mode d'emploi de votre appareil). Hachez finement les oignons, l'ail, le gingembre et le piment dans un robot ou à la main.

Coupez chaque haut-de-cuisse en quatre. Faites chauffer l'huile dans une grande poêle. Faites-y dorer les morceaux de poulet à feu vif. Réservez-les sur une assiette.

Faites fondre le beurre dans la poêle, puis faites-y colorer la préparation aux oignons à feu moyen. Incorporez les graines de cumin et de fenouil, les gousses de cardamome et les épices en poudre. Faites revenir 1 minute puis ajoutez le bouillon de poule, le sucre, le concentré de tomate et le sel. Portez à ébullition en remuant.

Mettez le poulet dans le faitout du mijoteur, arrosez avec la préparation aux oignons et aux épices. Enfoncez les morceaux de poulet dans la sauce. Couvrez et faites cuire 5 à 7 heures à température basse.

Ajoutez la crème fraîche. Décorez avec des amandes effilées et quelques brins de coriandre. Servez avec du riz nature.

canard chinois aux quetsches

Préparation **20 minutes**
Température de cuisson **élevée**
Cuisson **5 à 6 heures**
Pour **4 personnes**

4 **cuisses de canard** (environ 200 g chacune)
1 **oignon** émincé
2 c. à s. de **farine ordinaire**
450 ml de **bouillon de poule**
2 c. à s. de **sauce soja**
1 c. à s. de **vinaigre de vin rouge**
1 c. à s. de **miel liquide**
2 c. à c. de **concentré de tomate**
2 c. à c. de **nuoc-mâm**
½ c. à c. de **piment rouge séché,** pilé
½ c. à c. de **poivre de la Jamaïque en poudre**
4 **étoiles d'anis**
375 g de **quetsches** dénoyautées et coupées en quatre

Pour servir
riz ou **nouilles au gingembre**

Préchauffez le mijoteur si nécessaire (consultez le mode d'emploi de votre appareil). Faites cuire les cuisses de canard à sec, dans une poêle, d'abord à feu doux jusqu'à ce que le gras commence à couler, puis à feu plus vif jusqu'à ce qu'elles soient dorées des deux côtés. Sortez les cuisses de la poêle à l'aide d'une écumoire puis posez-les dans le faitout du mijoteur.

Jetez le gras du canard, réservez-en 1 cuillerée à soupe. Faites revenir l'oignon 5 minutes dans la poêle, en remuant. Ajoutez la farine puis versez progressivement le bouillon de poule. Ajoutez les ingrédients restants, à l'exception des quetsches, puis portez à ébullition en remuant.

Versez la sauce sur les cuisses de canard puis ajoutez les quetsches. Appuyez sur la viande pour qu'elle soit recouverte de sauce. Posez le couvercle et faites cuire 5 à 6 heures à température élevée. La viande doit se détacher des os. Proposez du riz en accompagnement, ou des nouilles au gingembre (voir ci-dessous).

Pour préparer des nouilles au gingembre à servir en accompagnement, faites chauffer 1 cuillerée à soupe d'huile de sésame dans un wok. Faites-y revenir 2,5 cm de gingembre frais, pelé et haché finement, 200 g de bok choy râpé, 50 g de haricots verts coupés en deux et 450 g de nouilles épaisses déjà cuites, pendant 3 à 4 minutes, jusqu'à ce que le bok choy commence à ramollir et que les nouilles soient chaudes.

jambon cuit au cola

Préparation **15 minutes**
Température de cuisson **élevée**
Cuisson **6 à 7 heures**
Pour **4 personnes**

1,25 kg de **jambon fumé** désossé, mis à tremper toute une nuit dans de l'eau froide
5 **clous de girofle**
1 **oignon** coupé en huit
2 **carottes** taillées en rondelles épaisses
410 g de **haricots noirs** ou **rouges** en boîte, égouttés
2 feuilles de **laurier**
900 ml de **cola**
1 c. à s. de **sucre roux**
1 c. à s. de **concentré de tomate**
2 c. à c. de **moutarde forte**

Préchauffez le mijoteur si nécessaire. Égouttez le jambon et posez-le dans le faitout de l'appareil. Piquez les clous de girofle dans 5 morceaux d'oignon. Mettez ces derniers dans le faitout, avec les morceaux restants, les rondelles de carotte, les haricots égouttés et les feuilles de laurier.

Dans une casserole, portez à ébullition en remuant le cola, le sucre, le concentré de tomate et la moutarde. Versez cette sauce sur le jambon, couvrez et faites cuire 6 à 7 heures à température élevée.

Filtrez la sauce dans une casserole et faites-la bouillir 10 minutes jusqu'à ce qu'elle ait réduit de moitié. Maintenez le jambon et les légumes au chaud dans le mijoteur éteint, à couvert. Coupez le jambon en tranches fines et servez avec les carottes, les haricots et la sauce.

Pour du jambon cuit au persil, faites tremper le jambon comme ci-dessus, puis faites-le cuire dans le mijoteur avec les clous de girofle, l'oignon, les carottes, les feuilles de laurier et 900 ml d'eau bouillante à la place du cola. Supprimez les autres ingrédients, notamment les haricots. Faites fondre 25 g de beurre dans une casserole. Versez-y 25 g de farine et faites revenir 1 minute en remuant. Versez progressivement 300 ml de lait, sans cesser de remuer. Portez à ébullition, en remuant toujours, jusqu'à obtention d'un mélange épais et lisse. Incorporez 1 cuillerée à café de moutarde forte, 3 cuillerées à soupe de persil ciselé, salez et poivrez. Servez cette sauce avec les tranches de jambon ainsi que les carottes et l'oignon égouttés.

ragoût d'agneau parfumé

Préparation **15 minutes**
Température de cuisson **basse**
Cuisson **8 à 10 heures**
Pour **4 personnes**

25 g de **beurre**
750 g de **filet d'agneau** coupé en tranches
2 **oignons** hachés
3 gousses d'**ail** hachées finement
2,5 cm de **gingembre frais,** pelé et haché finement
1 c. à c. de **curcuma en poudre**
2 c. à c. de **coriandre en poudre**
2 c. à c. de **graines de cumin,** broyées grossièrement
2 c. à c. de **garam masala**
½ c. à c. de **piments rouges séchés,** pilés
2 c. à s. de **farine ordinaire**
400 g de **tomates concassées** en boîte
300 ml de **bouillon d'agneau**
4 c. à s. de **crème fraîche**

Pour décorer
1 petit bouquet de **coriandre,** feuilles froissées
1 **oignon rouge** râpé

Préchauffez le mijoteur si nécessaire. Faites fondre le beurre dans une poêle. Faites-y dorer les morceaux d'agneau à feu vif, en remuant. Disposez la viande dans le faitout du mijoteur.

Faites revenir les oignons 5 minutes dans la poêle, en remuant. Ajoutez l'ail, le gingembre, les épices et les piments séchés, et faites cuire encore 1 minute. Ajoutez la farine puis les tomates et le bouillon d'agneau. Portez à ébullition en remuant.

Versez la préparation aux tomates sur l'agneau, couvrez et faites cuire 8 à 10 heures à température basse. Ajoutez la crème, décorez avec des feuilles de coriandre et de l'oignon rouge, et servez avec du riz pilaf (voir ci-dessous).

Pour préparer du riz pilaf à servir en accompagnement, rincez 225 g de riz basmati dans une passoire, à plusieurs reprises. Égouttez puis faites tremper 15 minutes dans l'eau froide. Faites chauffer 15 g de beurre dans une casserole. Faites-y revenir 1 oignon finement haché pendant 3 minutes. Ajoutez 5 gousses de cardamome légèrement broyées, 5 clous de girofle, ½ bâton de cannelle, ½ cuillerée à café de curcuma en poudre et ½ cuillerée à café de sel. Faites cuire 1 minute. Égouttez le riz, versez-le dans la casserole et faites revenir 1 minute. Versez 475 ml d'eau bouillante sur le riz, portez de nouveau à ébullition, couvrez hermétiquement et laissez frémir 10 minutes. Retirez la casserole du feu mais laissez le couvercle. Laissez reposer 8 à 10 minutes. Aérez le riz avec une fourchette.

bœuf et boulettes au raifort

Préparation **35 minutes**
Température de cuisson **basse** et **élevée**
Cuisson **8 heures à 10 h 30**
Pour **4 personnes**

750 g de **bœuf à braiser**
2 c. à s. d'**huile d'olive**
1 gros **oignon** haché
2 à 3 gousses d'**ail** pilées
2 c. à s. de **farine ordinaire**
300 ml de **vin rouge** (bourgogne)
300 ml de **bouillon de bœuf**
1 c. à s. de **concentré de tomate**
2 feuilles de **laurier**
sel et **poivre**
150 g de petites **carottes**
250 g de **poireaux** parés, lavés et émincés

Boulettes au raifort
150 g de **farine à levure incorporée**
75 g de **margarine** en dés
2 c. à c. de **pâte de raifort**
3 c. à s. de **ciboulette** ciselée
sel et **poivre**
5 à 7 c. à s. d'**eau**

Préchauffez le mijoteur si nécessaire (consultez le mode d'emploi de votre appareil). Coupez la viande en morceaux, en éliminant un maximum de gras. Faites chauffer l'huile d'olive dans une poêle. Faites-y dorer les morceaux de bœuf à feu vif. Ajoutez l'oignon et faites revenir 5 minutes en remuant.

Ajoutez l'ail et la farine, puis versez progressivement le vin et le bouillon de bœuf. Ajoutez le concentré de tomate et le laurier. Salez et poivrez. Portez à ébullition puis versez dans le faitout du mijoteur. Couvrez et faites cuire 7 à 9 heures à température basse.

Remuez le ragoût avant d'ajouter les carottes. Couvrez et poursuivez la cuisson 30 à 45 minutes à température élevée.

Préparez les boulettes. Mélangez la farine, la margarine, la pâte de raifort, la ciboulette, du sel et du poivre. Ajoutez de l'eau jusqu'à obtention d'une pâte lisse mais non collante. Avec les mains farinées, façonnez 8 boulettes.

Ajoutez les poireaux dans le faitout, puis les boulettes. Remettez le couvercle et faites cuire encore 30 à 45 minutes, à température élevée, jusqu'à ce que les boulettes aient gonflé. Servez ce ragoût dans des assiettes creuses (pensez à enlever les feuilles de laurier).

porc braisé à la ratatouille

Préparation **20 minutes**
Température de cuisson **élevée**
Cuisson **7 à 9 heures**
Pour **4 personnes**

1 c. à s. d'**huile d'olive**
1 **oignon** haché
1 **poivron rouge** épépiné et coupé en morceaux
1 **poivron jaune** épépiné et coupé en morceaux
375 g de **courgettes** coupées en morceaux
2 gousses d'**ail** pilées
400 g de **tomates concassées** en boîte
150 ml de **vin rouge** ou de **bouillon de poule**
1 c. à s. de **fécule de maïs**
2 ou 3 brins de **romarin** (détachez les feuilles des tiges)
sel et **poivre**
875 g de **poitrine de porc fraîche** sans la couenne

Pour servir
purée de pomme de terre

Préchauffez le mijoteur si nécessaire (consultez le mode d'emploi de votre appareil). Faites chauffer l'huile d'olive dans une poêle. Faites-y revenir l'oignon 5 minutes en remuant, jusqu'à ce qu'il commence à dorer.

Ajoutez les poivrons, les courgettes et l'ail, et faites revenir 2 minutes. Ajoutez les tomates puis le vin ou le bouillon. Délayez la fécule de maïs avec un fond d'eau puis versez-la également dans la poêle, avec le romarin, un peu de sel et de poivre. Portez à ébullition en remuant.

Versez la moitié de la préparation dans le faitout du mijoteur. Posez le morceau de porc dans le faitout puis arrosez-le avec le reste de la préparation. Couvrez et faites cuire 7 à 9 heures à température élevée, jusqu'à ce que la viande soit fondante. Si vous voulez une sauce épaisse, transvasez-la du faitout dans une casserole et faites-la bouillir 5 minutes pour qu'elle réduise. Coupez le porc en 4 morceaux que vous poserez sur les assiettes. Nappez de ratatouille et servez. Proposez une purée de pomme de terre en accompagnement.

Pour du poulet braisé à la ratatouille, faites revenir 4 cuisses de poulet dans 1 cuillerée à soupe d'huile d'olive, jusqu'à ce qu'elles soient dorées des deux côtés. Égouttez puis placez dans le faitout du mijoteur. Préparez la ratatouille comme ci-dessus, nappez-en les cuisses de poulet et faites cuire 5 à 6 heures à température élevée.

pilaf au poulet et aux tomates

Préparation **25 minutes**
Température de cuisson **élevée**
Cuisson **3 à 4 heures**
Pour **4 personnes**

1 c. à s. d'**huile d'olive**
4 **blancs de poulet** sans la peau
1 gros **oignon** haché grossièrement
2 gousses d'**ail** pilées (facultatif)
400 g de **tomates concassées** en boîte
50 g de **tomates séchées conservées dans l'huile,** égouttées et émincées
2 c. à c. de **pesto**
sel et **poivre**
600 ml de **bouillon de poule** chaud
150 g de **riz complet**
50 g de **riz sauvage**

Pour servir
roquette
sauce à l'huile d'olive et au citron

Préchauffez le mijoteur si nécessaire. Faites chauffer l'huile d'olive dans une poêle. Faites-y dorer les blancs de poulet sur une face, puis réservez-les.

Faites revenir l'oignon et l'ail dans la poêle 5 minutes, en remuant. Ajoutez les tomates concassées, les tomates séchées, le pesto, du sel et du poivre, et portez à ébullition. Transvasez le tout dans le faitout du mijoteur puis versez le bouillon de poule.

Versez le riz complet dans une passoire et rincez-le sous l'eau froide, puis ajoutez-le dans le faitout ainsi que le riz sauvage. Posez les blancs de poulet sur le riz, côté doré vers le haut, puis enfoncez-les juste sous le niveau du liquide. Couvrez et faites cuire 3 à 4 heures à température élevée.

Servez avec une salade de roquette parfumée à l'huile d'olive et au citron.

Pour un pilaf au poulet, au poivron rouge et au citron, faites dorer 4 blancs de poulet sans la peau comme ci-dessus puis réservez-les. Dans la poêle, faites revenir 1 gros oignon haché et 1 poivron rouge épépiné et coupé en morceaux, jusqu'à ce que l'oignon commence à dorer. Ajoutez 400 g de tomates concassées en boîte, 2 cuillerées à soupe de feuilles de thym ciselées, le zeste râpé et le jus de 1 citron. Portez à ébullition puis transvasez le tout dans le faitout du mijoteur, avec 600 ml de bouillon de poule chaud, 150 g de riz complet et le poulet. Poursuivez comme ci-dessus.

moussaka

Préparation **30 minutes**
Température de cuisson **basse**
Cuisson **8 h 45 à 11 h 15**
Pour **4 personnes**

4 c. à s. d'**huile d'olive**
1 grosse **aubergine** émincée
500 g d'**agneau** haché
1 **oignon** haché
2 gousses d'**ail** pilées
1 c. à s. de **farine ordinaire**
400 g de **tomates concassées** en boîte
200 ml de **bouillon d'agneau**
1 c. à c. de **cannelle en poudre**
¼ de c. à c. de **noix de muscade** râpée
1 c. à s. de **concentré de tomate**
sel et **poivre**

Garniture
3 **œufs**
250 g de **yaourt nature**
75 g de **feta** râpée
1 pincée de **noix de muscade** râpée

Préchauffez le mijoteur si nécessaire. Faites chauffer la moitié de l'huile d'olive dans une poêle. Faites-y dorer les tranches d'aubergine des deux côtés, en plusieurs fois, en ajoutant de l'huile si nécessaire. Réservez.

Faites dorer la viande hachée et l'oignon dans la poêle, sans matières grasses, en émiettant la viande. Ajoutez l'ail et la farine, puis les tomates concassées, le bouillon d'agneau, les épices, le concentré de tomate, un peu de sel et de poivre. Portez à ébullition en remuant.

Transvasez la préparation à la viande dans le faitout du mijoteur. Posez les tranches d'aubergine sur la viande en les faisant se chevaucher. Couvrez et faites cuire 8 à 10 heures à température basse.

Préparez la garniture. Mélangez les œufs, le yaourt, la feta et la noix de muscade. Répartissez cette préparation sur les aubergines. Couvrez et faites cuire encore 45 minutes à 1 h 15 à température basse. Sortez le faitout de l'appareil et faites dorer sous le gril du four. Servez avec une salade verte.

Pour un hachis parmentier à la grecque, préparez la viande hachée et les tranches d'aubergine, puis faites cuire comme ci-dessus. Faites cuire 750 g de pommes de terre coupées en morceaux, 15 minutes à l'eau bouillante. Égouttez et réduisez en purée, avec 3 cuillerées à soupe de yaourt grec, un peu de sel et de poivre. Étalez la purée sur les aubergines, recouvrez de 25 g de beurre coupé en petits dés et passez le faitout à dorer sous le gril du four.

saucisses et sauce à l'oignon

Préparation **15 minutes**
Température de cuisson **basse**
Cuisson **6 à 8 heures**
Pour **4 personnes**

1 c. à s. d'**huile de tournesol**
8 **saucisses** (type saucisse de Toulouse)
2 **oignons rouges** coupés en deux et émincés
2 c. à c. de **sucre de canne blond**
2 c. à s. de **farine ordinaire**
450 ml de **bouillon de bœuf**
1 c. à s. de **concentré de tomate**
1 feuille de **laurier**
sel et **poivre**

Pour servir
grands **Yorkshire puddings**
carottes vapeur
brocoli vapeur

Préchauffez le mijoteur si nécessaire. Faites chauffer l'huile dans une poêle. Faites-y revenir les saucisses à feu vif 5 minutes, en les tournant, jusqu'à ce qu'elles soient bien dorées sans être complètement cuites. Égouttez et placez dans le faitout du mijoteur.

Faites fondre les oignons dans la poêle, 5 minutes à feu moyen. Ajoutez le sucre et faites cuire encore 5 minutes, en remuant.

Ajoutez la farine, puis versez progressivement le bouillon de bœuf. Ajoutez ensuite le concentré de tomate, le laurier, un peu de sel et de poivre, et portez à ébullition, sans cesser de remuer. Versez cette préparation sur les saucisses. Couvrez et faites cuire 6 à 8 heures à température basse.

Répartissez la préparation dans les Yorkshire puddings réchauffés, avec des carottes et du brocoli cuits à la vapeur ou une purée de pomme de terre.

Pour des saucisses à l'oignon et à la bière, faites revenir 8 saucisses aux herbes jusqu'à ce qu'elles soient dorées. Égouttez puis faites fondre 2 oignons blancs émincés dans la poêle. Supprimez le sucre. Ajoutez la farine ordinaire, puis versez 150 ml de bière brune et 300 ml de bouillon de bœuf. Remplacez le concentré de tomate par 1 cuillerée à soupe de moutarde à l'ancienne et 2 cuillerées à soupe de sauce Worcestershire. Assaisonnez et portez à ébullition. Faites cuire dans le mijoteur pendant 6 à 8 heures.

faisan à la pancetta

Préparation **35 minutes**
Température de cuisson **basse**
Cuisson **2 h 30 à 3 heures**
Pour **4 personnes**

4 **blancs de faisan** (environ 600 g)
sel et **poivre**
1 petit bouquet de **sauge**
100 g de **pancetta fumée,** en tranches
25 g de **beurre**
200 g d'**échalotes,** coupées en deux si elles sont grosses
2 c. à s. de **farine ordinaire**
150 ml de **cidre sec**
150 ml de **bouillon de poule**
1 c. à c. de **moutarde de Dijon**
1 **pomme** coupée en morceaux
240 g de **châtaignes** en boîte, égouttées et pelées

Pour servir
petites carottes vapeur

Préchauffez le mijoteur si nécessaire (consultez le mode d'emploi de votre appareil). Rincez les blancs de faisan sous l'eau froide puis épongez-les avec du papier absorbant. Salez et poivrez généreusement. Posez quelques feuilles de sauge sur les blancs puis emballez ces derniers dans les tranches de pancetta. Maintenez la pancetta en place avec de la ficelle de cuisine.

Faites chauffer le beurre dans une poêle. Faites-y dorer les échalotes 4 à 5 minutes. Ajoutez la farine, puis le cidre, le bouillon de poule et la moutarde. Ajoutez ensuite les morceaux de pomme, les châtaignes, un peu de sel et de poivre. Portez à ébullition en remuant.

Disposez les blancs de faisan dans le faitout du mijoteur. Nappez-les avec la préparation aux échalotes encore chaude, couvrez et faites cuire 2 h 30 à 3 heures à température basse, jusqu'à ce que la viande soit tendre et cuite à cœur. Répartissez la préparation sur les assiettes, retirez la ficelle et servez avec des carottes vapeur.

Pour un faisan à la poitrine fumée et au vin rouge, remplacez la pancetta par des tranches de poitrine fumée. Faites revenir, avec les échalotes, jusqu'à ce que la poitrine soit dorée. Ajoutez la farine puis versez 150 ml de vin rouge à la place du cidre, du bouillon et de la moutarde. Remplacez la pomme par 8 pruneaux coupés en deux. Ajoutez les châtaignes et poursuivez comme ci-dessus.

poulet aigre-doux

Préparation **20 minutes**
Température de cuisson **basse**
Cuisson **6 h 15 à 8 h 15**
Pour **4 personnes**

1 c. à s. d'**huile de tournesol**
8 petits **hauts-de-cuisses de poulet** (environ 1 kg), désossés
4 **oignons de printemps** coupés en tranches épaisses (bulbes et tiges séparés)
2 **carottes** coupées en deux dans le sens de la longueur puis émincées
2,5 cm de **gingembre frais,** pelé et haché finement
430 g d'**ananas au naturel** en boîte
300 ml de **bouillon de poule**
1 c. à s. de **fécule de maïs**
1 c. à s. de **concentré de tomate**
2 c. à s. de **sucre en poudre**
2 c. à s. de **sauce soja**
2 c. à s. de **vinaigre de malt**
225 g de **pousses de bambou** en boîte, égouttées
125 g de **germes de soja**
100 g de **pois gourmands** émincés
riz pour servir

Préchauffez le mijoteur si nécessaire (consultez le mode d'emploi de votre appareil). Faites chauffer l'huile dans une poêle. Faites-y dorer les morceaux de poulet en remuant. Ajoutez les bulbes d'oignon, les carottes et le gingembre, et faites revenir 2 minutes.

Ajoutez les morceaux d'ananas avec le jus, ainsi que le bouillon de poule. Versez la fécule de maïs, le concentré de tomate et le sucre dans un petit bol. Ajoutez progressivement la sauce soja et le vinaigre jusqu'à obtention d'une pâte lisse. Versez ce mélange dans la poêle et portez à ébullition en remuant.

Transvasez le poulet et la sauce dans le faitout du mijoteur. Ajoutez les pousses de bambou. Enfoncez les morceaux de poulet juste sous le niveau du liquide. Couvrez et faites cuire 6 à 8 heures à température basse.

Avant de servir, ajoutez les tiges d'oignon, les germes de soja et les pois gourmands dans le faitout. Remuez, couvrez et faites cuire encore 15 minutes, toujours à température basse. Répartissez du riz dans des bols, nappez de poulet aigre-doux et servez.

boulettes de viande aux épices

Préparation **25 minutes**
Température de cuisson **basse**
Cuisson **6 à 8 heures**
Pour **4 personnes**

1 **oignon** coupé en quartiers
50 g de **pain**
250 g de **porc** haché
250 g de **bœuf** haché
1 c. à c. de **quatre-épices en poudre**
1 **jaune d'œuf**
sel et **poivre**
1 c. à s. d'**huile de tournesol**

Sauce
15 g de **beurre**
1 **oignon** émincé
2 c. à s. de **farine ordinaire**
600 ml de **bouillon de poule**
4 c. à c. d'**aneth** ciselé + quelques brins pour décorer

Pour servir
purée de pomme de terre

Préchauffez le mijoteur si nécessaire. Dans un robot, hachez finement l'oignon et le pain. Ajoutez la viande hachée, le quatre-épices, le jaune d'œuf, un peu de sel et de poivre, et mélangez.

Façonnez 24 boulettes. Faites chauffer l'huile dans une poêle. Faites-y revenir les boulettes à feu moyen, en les tournant régulièrement, jusqu'à ce qu'elles soient uniformément dorées mais pas complètement cuites. Égouttez et placez dans le faitout du mijoteur.

Préparez la sauce. Lavez la poêle puis faites-y fondre le beurre. Faites-y revenir l'oignon 5 minutes, en remuant. Ajoutez la farine puis versez progressivement le bouillon. Portez à ébullition, en remuant. Salez et poivrez puis versez la sauce sur les boulettes. Couvrez et faites cuire 6 à 8 heures à température basse.

Ajoutez l'aneth ciselé dans la sauce. Servez les boulettes avec une purée de pomme de terre. Saupoudrez de brins d'aneth pour décorer.

Pour des boulettes à la sauce tomate, préparez les boulettes comme ci-dessus, en supprimant le quatre-épices. Pour la sauce, faites revenir 1 oignon haché dans 1 cuillerée à soupe d'huile d'olive. Ajoutez 2 gousses d'ail pilées, 400 g de tomates concassées en boîte, 1 cuillerée à café de sucre en poudre, 150 ml de bouillon de poule, du sel et du poivre. Portez à ébullition. Versez la sauce sur les boulettes et faites cuire comme ci-dessus. Décorez de feuilles de basilic froissées. Servez avec des pâtes.

sanglier sauce au poivre

Préparation **35 minutes**
Température de cuisson **basse** et **élevée**
Cuisson **8 h 45 à 11 heures**
Pour **4 personnes**

25 g de **beurre**
1 c. à s. d'**huile d'olive**
750 g d'**épaule de sanglier**
1 gros **oignon rouge** émincé
125 g de **champignons** émincés
2 gousses d'**ail** pilées
2 c. à s. de **farine ordinaire**
200 ml de **vin rouge**
250 ml de **bouillon de poule**
2 c. à c. de **concentré de tomate**
2 c. à s. de **gelée de groseille**
1 c. à c. de **grains de poivre,** broyés grossièrement
sel

Scones
250 g de **farine à levure incorporée**
40 g de **beurre** en petits dés
sel et **poivre**
125 g de **gorgonzola**
3 c. à s. de **persil** ciselé ou de **ciboulette**
1 **œuf** battu
4 ou 5 c. à s. de **lait**

Préchauffez le mijoteur si nécessaire. Faites chauffer le beurre et l'huile d'olive dans une grande poêle. Faites-y dorer la viande puis réservez-la.

Faites revenir l'oignon dans la poêle pendant 5 minutes. Ajoutez les champignons, l'ail et la farine, et faites cuire encore 1 minute. Versez le vin, le bouillon de poule, le concentré de tomate, la gelée de groseille, les grains de poivre et du sel. Portez à ébullition.

Disposez les morceaux de sanglier dans le faitout du mijoteur. Nappez de sauce au vin chaude. Enfoncez la viande en dessous du niveau du liquide. Couvrez et faites cuire 8 à 10 heures à température basse.

Préparez les scones. Versez la farine et le beurre dans un récipient. Travaillez du bout des doigts jusqu'à obtention d'un sable grossier. Salez et poivrez. Ajoutez le gorgonzola et le persil. Incorporez l'œuf (réservez-en 1 cuillerée à soupe). Ajoutez progressivement du lait jusqu'à obtention d'une pâte lisse.

Pétrissez brièvement puis aplatissez la pâte en un disque épais, légèrement plus petit que le faitout. Coupez le disque en 8 parts que vous disposerez sur la préparation, légèrement espacées les unes des autres. Couvrez et faites cuire encore 45 minutes à 1 heure, à température élevée.

Sortez le faitout de l'appareil. Badigeonnez les scones avec le reste d'œuf battu et faites dorer sous le gril du four. Servez avec des haricots verts.

travers de porc laqués

Préparation **25 minutes**
Température de cuisson **élevée**
Cuisson **5 h 10 à 7 h 15**
Pour **4 personnes**

1,25 kg de **travers de porc,** rincés et égouttés
1 **oignon** coupé en quartiers
1 **carotte** taillée en grosses rondelles
2 feuilles de **laurier**
2 c. à s. de **vinaigre de malt**
1 c. à c. de **grains de poivre noir**
½ c. à c. de **sel**
1 litre d'**eau** bouillante

Glaçage
2 c. à c. de **moutarde forte**
1 c. à c. de **poivre de la Jamaïque** moulu
2 c. à s. de **concentré de tomate**
2 c. à s. de **sucre roux**
125 ml de **sirop d'érable**

Coleslaw
2 **carottes** râpées
¼ de **chou rouge** râpé
3 **ciboules** émincées
100 g de **maïs doux** (décongelé s'il est surgelé)
2 c. à s. de **mayonnaise**
2 c. à s. de **yaourt nature**

Préchauffez le mijoteur si nécessaire (consultez le mode d'emploi de votre appareil). Mettez la viande, l'oignon, la carotte, le laurier, le vinaigre, les grains de poivre, le sel et l'eau dans le faitout du mijoteur. Posez le couvercle et faites cuire 5 à 7 heures à température élevée.

Sortez les travers du faitout avec une écumoire et posez-les dans une poêle-gril tapissée de papier d'aluminium. Mélangez ensemble les ingrédients du glaçage. Prélevez 150 ml de bouillon chaud dans le faitout et ajoutez-le également. Versez ce mélange sur les travers et faites griller 10 à 15 minutes, en les tournant 1 ou 2 fois en cours de cuisson, jusqu'à ce qu'ils soient dorés et collants.

Pendant ce temps, mélangez les ingrédients du coleslaw. Répartissez ce dernier dans 4 coupelles. Posez les coupelles sur les assiettes, avec les travers de porc laqués, et servez.

Pour une version chinoise, faites cuire les travers de porc comme ci-dessus. Égouttez et placez dans une poêle-gril tapissée de papier d'aluminium. Préparez le glaçage avec 2 cuillerées à soupe de concentré de tomate, 2 cuillerées à soupe de sauce soja, 4 cuillerées à soupe de sauce hoisin, 2 cuillerées à soupe de sucre de canne blond, le jus de 1 orange et 150 ml de bouillon prélevé dans le mijoteur. Faites griller 10 à 15 minutes comme ci-dessus.

bolognaise gastronomique

Préparation **20 minutes**
Température de cuisson **basse**
Cuisson **8 à 10 heures**
Pour **4 personnes**

1 c. à s. d'**huile d'olive**
500 g de **bœuf maigre** haché
1 **oignon** haché
225 g de **foies de poulet** (décongelés s'ils sont surgelés)
2 gousses d'**ail** pilées
50 g de **pancetta** ou de **poitrine fumée** coupées en morceaux
150 g de **champignons** émincés
1 c. à s. de **farine ordinaire**
150 ml de **vin rouge**
150 ml de **bouillon de bœuf**
400 g de **tomates concassées** en boîte
2 c. à s. de **concentré de tomate**
1 **bouquet garni**
sel et **poivre**
300 g de **tagliatelles**

Pour servir
copeaux de **parmesan**
feuilles de **basilic**

Préchauffez le mijoteur si nécessaire. Faites chauffer l'huile d'olive dans une poêle. Faites dorer la viande hachée et l'oignon, en émiettant la viande.

Pendant ce temps, rincez les foies de poulet dans une passoire, égouttez puis hachez grossièrement, en éliminant les parties blanches s'il y en a. Ajoutez-les dans la poêle, avec l'ail, la pancetta ou la poitrine fumée et les champignons, et faites cuire encore 2 à 3 minutes, jusqu'à ce que les foies soient dorés.

Incorporez la farine puis versez le vin, le bouillon de bœuf, les tomates, le concentré de tomate, le bouquet garni, du sel et du poivre. Portez à ébullition, en remuant. Transvasez la préparation dans le faitout du mijoteur, couvrez et faites cuire 8 à 10 heures à température basse.

Avant de passer à table, faites cuire les tagliatelles dans une grande quantité d'eau bouillante salée, pendant 8 minutes environ. Égouttez-les et ajoutez-les à la bolognaise. Répartissez la préparation dans des assiettes creuses. Parsemez de copeaux de parmesan et de feuilles de basilic.

Pour une version « petits budgets », supprimez les foies de poulet et la pancetta ou la poitrine fumée et ajoutez 1 carotte et 1 courgette coupées en petits morceaux, en même temps que l'ail et les champignons. Remplacez le vin par 150 ml de bouillon supplémentaires et poursuivez comme ci-dessus.

poulet au citron

Préparation **25 minutes**
Température de cuisson **élevée**
Cuisson **5 à 6 heures**
Pour **4 à 5 personnes**

1 **poulet** d'environ 1,5 kg
2 c. à s. d'**huile d'olive**
1 gros **oignon** coupé en 6 morceaux
500 ml de **cidre sec**
3 c. à c. de **moutarde de Dijon**
2 c. à c. de **sucre en poudre**
sel et **poivre**
900 ml de **bouillon de poule** chaud
3 **carottes** coupées en morceaux
3 branches de **céleri** taillées en gros tronçons
1 **citron** coupé en 6 morceaux
20 g d'**estragon**
3 c. à s. de **crème fraîche**

Préchauffez le mijoteur si nécessaire. Rincez l'intérieur et l'extérieur du poulet à l'eau froide puis épongez-le avec du papier absorbant. Faites chauffer l'huile d'olive dans une grande poêle. Faites-y dorer le poulet 10 minutes, en le tournant plusieurs fois.

Placez le poulet, côté blancs vers le bas, dans le faitout du mijoteur. Faites dorer les morceaux d'oignon dans la poêle. Ajoutez le cidre, la moutarde, le sucre, du sel et du poivre. Portez à ébullition puis versez ce mélange sur le poulet. Ajoutez le bouillon de poule chaud, puis les légumes, les morceaux de citron et 3 brins d'estragon. Assurez-vous que le poulet et les légumes sont bien en dessous du niveau du liquide.

Posez le couvercle et faites cuire 5 à 6 heures à température élevée. Vérifiez la cuisson en enfonçant la lame d'un couteau tranchant dans les parties les plus charnues du poulet : celui-ci est cuit si du jus transparent s'en écoule. Tournez éventuellement le poulet au bout de 4 heures de cuisson.

Sortez le poulet du faitout, égouttez-le et posez-le sur un grand plat de service. Sortez les légumes à l'aide d'une écumoire et disposez-les autour du poulet. Prélevez 600 ml de bouillon chaud dans le faitout. Réservez quelques brins d'estragon pour décorer et hachez le reste. Ajoutez l'estragon haché au bouillon, avec la crème fraîche, pour faire une sauce. Rectifiez l'assaisonnement. Découpez le poulet puis servez, avec les légumes et la sauce. Parsemez de brins d'estragon et décorez de morceauxde citron.

ragoût de bœuf aux légumes-racines

Préparation **25 minutes**
Température de cuisson **élevée**
Cuisson **7 à 8 heures**
Pour **4 personnes**

1 c. à s. d'**huile de tournesol**
750 g de **bœuf à braiser** coupé en morceaux
1 **oignon** haché
2 c. à s. de **farine ordinaire**
600 ml de **bouillon de bœuf**
2 c. à s. de **sauce Worcestershire**
1 c. à s. de **concentré de tomate**
2 c. à c. de **moutarde forte**
3 brins de **romarin**
sel et **poivre**
125 g de **carottes** coupées en morceaux
125 g de **rutabagas** coupés en morceaux
125 g de **panais** coupés en morceaux
700 g de **pommes de terre** émincées
25 g de **beurre**

Préchauffez le mijoteur si nécessaire (consultez le mode d'emploi de votre appareil). Faites chauffer l'huile dans une poêle. Faites-y dorer les morceaux de bœuf à feu vif, en remuant. Placez la viande dans le faitout du mijoteur.

Faites revenir l'oignon 5 minutes dans la poêle, en remuant. Ajoutez la farine puis versez progressivement le bouillon de bœuf. Ajoutez la sauce Worcestershire, le concentré de tomate, la moutarde et 2 brins de romarin. Salez, poivrez et portez à ébullition tout en remuant.

Ajoutez les carottes, les rutabagas et les panais dans le faitout. Versez la sauce à l'oignon sur les légumes puis disposez les tranches de pomme de terre par-dessus, en les faisant se chevaucher. Pressez-les ensuite pour les immerger dans le bouillon. Saupoudrez de romarin ciselé. Salez et poivrez légèrement.

Posez le couvercle et faites cuire 7 à 8 heures à feu vif. Sortez le faitout de l'appareil, recouvrez les pommes de terre de beurre coupé en petits dés et faites dorer sous le gril du four.

Pour un ragoût au poulet et au boudin, remplacez le bœuf par 625 g de cuisses de poulet sans la peau et désossées. Poursuivez comme ci-dessus, en ajoutant 100 g de boudin noir en même temps que les carottes, les rutabagas et les panais. Recouvrez de lamelles de pomme de terre et faites cuire comme ci-dessus.

agneau à la menthe et couscous

Préparation **25 minutes**
Température de cuisson **élevée**
Cuisson **7 à 8 heures**
Pour **4 personnes**

1 c. à s. d'**huile d'olive**
½ **épaule d'agneau** (environ 900 g à 1 kg)
1 **oignon** émincé
2 gousses d'**ail** pilées
2 c. à s. de **farine ordinaire**
3 c. à s. de **gelée à la menthe**
150 ml de **vin rouge**
300 ml de **bouillon d'agneau**
sel et **poivre**

Couscous aux herbes
200 g de **couscous**
150 g de **betteraves** cuites, pelées et coupées en dés
400 ml d'**eau** bouillante
le **jus** et le **zeste** râpé de 1 **citron**
2 c. à s. d'**huile d'olive**
sel et **poivre**
1 petit bouquet de **persil** ciselé
1 petit bouquet de **menthe** ciselé

Préchauffez le mijoteur si nécessaire (consultez le mode d'emploi de votre appareil). Faites chauffer l'huile d'olive dans une poêle. Faites-y dorer l'épaule d'agneau des deux côtés. Posez-la dans le faitout du mijoteur. Faites revenir l'oignon 5 minutes dans la poêle, en remuant.

Ajoutez l'ail, la farine, la gelée et le vin. Remuez jusqu'à obtention d'une sauce lisse. Versez le bouillon d'agneau, salez et poivrez. Portez à ébullition en remuant. Versez la sauce sur l'agneau, couvrez et faites cuire 7 à 8 heures à température élevée. La viande doit se détacher de l'os.

Avant de passer à table, versez le couscous et les betteraves dans un saladier. Arrosez avec l'eau bouillante puis ajoutez le zeste et le jus de citron, l'huile d'olive, salez et poivrez. Couvrez et laissez reposer 5 minutes.

Ajoutez le persil et la menthe au couscous puis aérez ce dernier à la fourchette. Présentez l'épaule d'agneau sur un plat de service, découpée en gros morceaux. Servez l'agneau avec le couscous et la sauce à part.

poulet au curry korma

Préparation **20 minutes**
Température de cuisson **basse**
Cuisson **6 à 8 heures**
Pour **4 personnes**

2 c. à s. d'**huile de tournesol**
8 **hauts-de-cuisses de poulet** (environ 1 kg) sans la peau et désossés
2 **oignons** hachés finement + quelques lamelles pour décorer
1 ou 2 **piments verts** épépinés et hachés finement
2,5 cm de **gingembre frais** pelé et haché finement
5 c. à s. de **pâte de curry korma**
250 ml de **crème** ou de **lait de coco**
300 ml de **bouillon de poule**
2 c. à s. d'**amandes en poudre**
1 petit bouquet de **coriandre**
sel et **poivre**
200 g de **yaourt nature**
2 **tomates** coupées en dés

Pour servir
chapatis (pains indiens) **chauds**

Préchauffez le mijoteur si nécessaire (consultez le mode d'emploi de votre appareil). Faites chauffer l'huile dans une poêle. Faites-y dorer le poulet en remuant. Sortez la viande de la poêle à l'aide d'une écumoire et mettez-la dans le faitout de l'appareil.

Faites revenir les oignons, les piments, le gingembre et la pâte de curry 2 à 3 minutes dans la poêle, en remuant. Ajoutez la crème ou le lait de coco, le bouillon de poule et les amandes en poudre. Ciselez la moitié de la coriandre et ajoutez-la dans la poêle, salez et poivrez. Portez à ébullition en remuant, puis versez sur le poulet.

Posez le couvercle et faites cuire 6 à 8 heures à température basse. Remuez la préparation avant de la répartir dans des bols. Finissez avec 1 cuillerée de yaourt, les petits morceaux de tomates, les lamelles d'oignon et le reste de coriandre. Proposez des chapatis chauds en accompagnement.

Pour un poisson au curry korma, supprimez le poulet mais faites revenir les oignons, les piments, le gingembre et la pâte de curry dans l'huile, comme ci-dessus. Ajoutez la crème ou le lait de coco, 300 ml de fumet de poisson à la place du bouillon de poule, ainsi que les amandes en poudre, la coriandre, du sel et du poivre. Portez à ébullition puis transvasez le tout dans le faitout de l'appareil. Posez 2 filets de cabillaud (environ 500 g) dans le faitout, en les enfonçant sous le niveau du liquide. Faites cuire 2 heures à 2 h 15 à température basse.

tourte au bœuf et aux champignons

Préparation **40 minutes**
Température de cuisson **élevée**
Cuisson **5 à 6 heures**
Pour **4 personnes**

25 g de **beurre** + une noisette pour beurrer le plat
1 c. à s. d'**huile de tournesol**
2 gros **oignons** hachés grossièrement
2 c. à c. de **sucre en poudre**
100 g de **champignons** émincés
1 c. à s. de **farine** ordinaire ou à levure incorporée
150 ml de **bouillon de bœuf** chaud
1 c. à c. de **moutarde de Dijon**
1 c. à s. de **sauce Worcestershire**
sel et **poivre**
700 g de **rumsteck** en tranches fines, sans le gras

Pâte
300 g de **farine à levure incorporée**
½ c. à c. de **sel**
150 g de **margarine** coupée en petits dés
200 ml d'**eau**

Préchauffez le mijoteur si nécessaire. Faites chauffer le beurre et l'huile dans une poêle. Faites-y fondre les oignons 5 minutes. Saupoudrez les oignons de sucre et faites-les caraméliser 5 minutes. Ajoutez les champignons et faites revenir 2 à 3 minutes. Ajoutez la farine.

Dans un récipient, mélangez le bouillon, la moutarde, la sauce Worcestershire, du sel et du poivre.

Préparez la pâte. Mélangez la farine, le sel et la margarine dans un saladier. Incorporez l'eau pour obtenir une pâte lisse non collante. Pétrissez légèrement. Prélevez un quart de pâte et abaissez le restant au rouleau en un disque de 33 cm de diamètre. Pressez le disque de pâte dans un moule beurré d'une contenance de 1,5 litre.

Disposez les oignons caramélisés, les champignons et le rumsteck en couches, dans le moule. Versez le bouillon. Étalez le pâton réservé pour obtenir un disque de la taille du moule. Repliez le pourtour de pâte sur la préparation. Badigeonnez le pourtour avec un peu d'eau puis posez le couvercle de pâte.

Recouvrez la tourte de papier d'aluminium beurré en forme de dôme pour que la pâte puisse gonfler. Attachez l'aluminium avec une ficelle de cuisine. Glissez le moule dans le faitout, sur une soucoupe retournée. Versez de l'eau bouillante jusqu'à mi-hauteur du moule. Couvrez et faites cuire 5 à 6 heures à température élevée.

bœuf ranchero

Préparation **25 minutes**
Température de cuisson **basse**
Cuisson **7 à 8 heures**
Pour **4 personnes**

1 c. à s. d'**huile de tournesol**
500 g de **bœuf** haché
1 **oignon** haché
2 gousses d'**ail** pilées
1 c. à c. de **graines de cumin,** broyées grossièrement
¼ à ½ c. à c. de **piments rouges secs** pilés
¼ de c. à c. de **poivre de la Jamaïque**
2 brins d'**origan** hachés grossièrement
3 c. à s. de **raisins secs**
400 g de **tomates concassées** en boîte
250 ml de **bouillon de bœuf**
sel et **poivre**
500 g de **patates douces** émincées
25 g de **beurre**
quelques **piments rouges secs** pilés

Préchauffez le mijoteur si nécessaire (consultez le mode d'emploi de votre appareil). Faites chauffer l'huile dans une poêle. Faites-y revenir le bœuf et l'oignon, en émiettant la viande à l'aide d'une cuillère en bois, jusqu'à ce qu'elle soit dorée.

Ajoutez l'ail, les épices, l'origan, les raisins secs, les tomates et le bouillon de bœuf. Salez et poivrez légèrement, et portez à ébullition, en remuant.

Transvasez la préparation dans le faitout de l'appareil. Disposez les tranches de patate douce sur la viande en les faisant se chevaucher. Recouvrez de petits morceaux de beurre et de piment séché. Salez et poivrez légèrement.

Posez le couvercle et faites cuire 7 à 8 heures à température basse. Sortez le faitout de l'appareil avec des gants de cuisine et faites éventuellement dorer sous le gril du four.

Pour une version cow-boy, faites revenir le bœuf haché et l'oignon comme ci-dessus. Supprimez l'ail, les épices, l'origan, les raisins secs et les tomates. Ajoutez 2 cuillerées à soupe de sauce Worcestershire, 410 g de haricots à la sauce tomate en boîte, 1 feuille de laurier et 200 ml de bouillon de bœuf. Faites cuire cette préparation comme ci-dessus. Écrasez 750 g de pommes de terre en purée, avec un peu de beurre, de sel et de poivre. Étalez cette purée sur la viande. Recrouvrez de 50 g de gruyère râpé et faites dorer sous le gril du four.

poulet antillais au riz

Préparation **20 minutes**
Température de cuisson
basse et **élevée**
Cuisson **7 à 9 heures**
Pour **4 personnes**

8 **hauts-de-cuisses de poulet** (environ 1 kg)
3 c. à s. de **marinade jerk** (voir ci-dessous)
2 c. à s. d'**huile de tournesol**
2 gros **oignons** hachés
2 gousses d'**ail** pilées
400 ml de **lait de coco entier**
300 ml de **bouillon de poule**
410 g de **haricots rouges** en boîte, égouttés
sel et **poivre**
200 g de **riz long,** cuisson rapide
125 g de **petits pois** surgelés

Pour décorer
quartiers de **citron**
brins de **coriandre**

Préchauffez le mijoteur si nécessaire. Retirez la peau du poulet. Faites 2 ou 3 entailles dans la chair et arrosez de marinade jerk. Faites chauffer 1 cuillerée à soupe d'huile dans une grande poêle. Faites-y dorer les hauts-de-cuisses à feu vif, des deux côtés. Réservez-les sur une assiette. Remettez 1 cuillerée à soupe d'huile dans la poêle puis faites-y revenir les oignons et l'ail, 5 minutes à feu moyen. Versez le lait de coco et le bouillon de poule, salez et poivrez, puis portez à ébullition.

Transvasez la moitié de la préparation dans le faitout du mijoteur. Ajoutez 4 hauts-de-cuisses, puis les haricots rouges, les 4 autres hauts-de-cuisses et finissez avec la préparation aux oignons et au lait de coco. Couvrez et faites cuire 6 à 8 heures à température basse. Ajoutez le riz dans le faitout, couvrez et faites cuire encore 45 minutes à température élevée. Ajoutez les petits pois surgelés et poursuivez la cuisson 15 minutes de plus. Servez décoré de quartiers de citron et de brins de coriandre.

Pour la marinade jerk, coupez 1 piment scotch bonnet en deux. Épépinez-le et hachez-le finement. Dans un shaker pour sauce à salade, mettez le piment, 1 c. à s. de thym ciselé, 1 c. à c. de poivre de la Jamaïque moulu, 1 c. à c. de cannelle en poudre, ½ c. à c. de noix de muscade râpée, ½ c. à c. de sel, ½ c. à c. de poivre noir moulu, 3 c. à c. de sucre roux, 2 c. à s. d'huile de tournesol et 4 c. à s. de vinaigre de cidre. Fermez et secouez. Utilisez 3 c. à s. pour la recette et conservez le reste jusqu'à 2 semaines au réfrigérateur.

bœuf en daube

Préparation **25 minutes**
Température de cuisson **basse**
Cuisson **8 à 10 heures**
Pour **4 personnes**

1 c. à s. d'**huile de tournesol**
750 g de **bœuf à braiser** coupé en morceaux (enlevez un maximum de gras)
1 gros **oignon** émincé
2 gousses d'**ail** pilées
2 c. à s. de **farine ordinaire**
450 ml de **bouillon de bœuf**
4 c. à s. de **sauce soja**
4 c. à s. de **vinaigre de vin**
1 c. à s. de **sucre en poudre**
2 feuilles de **laurier**
sel et **poivre**
le **jus** de 1 **citron vert**
1 **carotte** taillée en allumettes
½ botte d'**oignons de printemps** émincés
feuilles de **coriandre**

Pour servir
riz long

Préchauffez le mijoteur si nécessaire (consultez le mode d'emploi de votre appareil). Faites chauffer l'huile dans une grande poêle. Faites-y revenir les morceaux de bœuf à feu vif jusqu'à ce qu'ils soient uniformément dorés. Sortez la viande de la poêle à l'aide d'une écumoire et posez-la sur une assiette.

Faites revenir l'oignon 5 minutes dans la poêle. Ajoutez l'ail et faites cuire encore 2 minutes. Ajoutez la farine puis versez progressivement le bouillon de bœuf. Ajoutez la sauce soja, le vinaigre, le sucre, les feuilles de laurier, du sel et du poivre. Portez à ébullition en remuant.

Placez les morceaux de bœuf dans le faitout du mijoteur. Arrosez avec le bouillon. Posez le couvercle et faites cuire 8 à 10 heures à température basse.

Ajoutez du jus de citron vert et décorez avec les allumettes de carotte, les lamelles d'oignons de printemps et les feuilles de coriandre. Servez ce plat dans des assiettes creuses, sur un lit de riz.

Pour un bœuf hoisin, mélangez 3 cuillerées à soupe de sauce soja, 3 cuillerées à soupe de vinaigre de riz ou de vin, 2 cuillerées à soupe de sauce hoisin et 2,5 cm de gingembre frais pelé et haché finement. Ajoutez ce mélange au bouillon de bœuf, avec le sucre. Supprimez les feuilles de laurier. Portez la préparation à ébullition puis poursuivez comme ci-dessus, en ajoutant le jus de citron vert juste avant de servir.

tagine d'agneau aux figues

Préparation **15 minutes**
Température de cuisson **basse**
Cuisson **8 à 10 heures**
Pour **4 personnes**

1 c. à s. d'**huile d'olive**
750 g de **filet d'agneau** coupé en morceaux
1 **oignon** émincé
2 gousses d'**ail** pilées
2,5 cm de **gingembre frais,** pelé et haché finement
2 c. à s. de **farine ordinaire**
600 ml de **bouillon d'agneau**
1 c. à c. de **cannelle en poudre**
2 grosses pincées de **filaments de safran**
75 g de **figues sèches** coupées en petits morceaux (éliminez la tige)
sel et **poivre**
40 g d'**amandes effilées** grillées

Préchauffez le mijoteur si nécessaire (consultez le mode d'emploi de votre appareil). Faites chauffer l'huile d'olive dans une poêle. Faites-y revenir les morceaux d'agneau à feu vif, en remuant, jusqu'à ce qu'ils soient dorés. Sortez la viande de la poêle à l'aide d'une écumoire et placez-la dans le faitout de l'appareil.

Faites revenir l'oignon 5 minutes dans la poêle. Ajoutez l'ail et le gingembre, puis la farine. Versez progressivement le bouillon d'agneau. Ajoutez les épices, les figues, un peu de sel et de poivre. Portez à ébullition en remuant.

Transvasez cette préparation dans le faitout, posez le couvercle et faites cuire 8 à 10 heures à température basse. Remuez, recouvrez d'amandes effilées et servez. Proposez en accompagnement un couscous au citron et aux pois chiches (voir ci-dessous).

Pour préparer un couscous au citron et aux pois chiches à servir en accompagnement, versez 200 g de couscous dans un saladier. Ajoutez le zeste râpé et le jus de 1 citron, 2 cuillerées à soupe d'huile d'olive, 410 g de pois chiches en boîte égouttés, un peu de sel et de poivre. Arrosez avec 450 ml d'eau bouillante puis couvrez le saladier et laissez reposer 5 minutes. Ajoutez 4 cuillerées à soupe de persil ciselé ou de coriandre et aérez la semoule à la fourchette.

poulet aux légumes verts

Préparation **20 minutes**
Température de cuisson **élevée**
Cuisson **3 h 15 à 4 h 15**
Pour **4 personnes**

1 c. à s. d'**huile d'olive**
4 **blancs de poulet** sans la peau (environ 550 g)
1 **oignon** haché
2 gousses d'**ail** pilées
2 c. à s. de **farine ordinaire**
450 ml de **bouillon de poule**
½ **citron** (coupé en deux dans le sens de la longueur) coupé en quartiers
2 **bok choy** taillés en grosses lanières
sel et **poivre**
125 g de **pois mange-tout** coupés en deux dans le sens de la longueur
4 c. à s. de **crème fraîche**
2 c. à s. de **menthe** et de **persil** ciselés

Pour servir
couscous mélangé à de la **tomate,** de l'**oignon rouge** et du **poivron rouge** hachés finement

Préchauffez le mijoteur si nécessaire. Faites chauffer l'huile d'olive dans une grande poêle. Faites-y dorer les blancs de poulet des deux côtés, à feu vif. Réservez. Faites revenir l'oignon 5 minutes dans la poêle en remuant.

Ajoutez l'ail et la farine dans la poêle, puis le bouillon de poule et les quartiers de citron. Salez et poivrez puis portez à ébullition.

Disposez les blancs de poulet dans le faitout. Versez le bouillon chaud sur la viande, en enfonçant cette dernière sous le niveau du liquide. Posez le couvercle et faites cuire 3 à 4 heures à température élevée.

Ajoutez les bok choy et les pois mange-tout, et faites cuire encore 15 minutes à température élevée, jusqu'à ce que les légumes soient *al dente*. Sortez le poulet du faitout et coupez-le en tranches que vous disposerez sur les assiettes. Versez la crème fraîche et les fines herbes dans la sauce puis nappez-en le poulet. Ajoutez les légumes. Proposez en accompagnement du couscous mélangé à de la tomate, de l'oignon rouge et du poivron rouge hachés finement.

Pour un poulet au citron et à la harissa, ajoutez 4 cuillerées à café de harissa dans la poêle, avec le bouillon de poule et les quartiers de citron. Poursuivez comme ci-dessus. Remplacez les bok choy à la fin par 125 g de brocoli détaillé en petits bouquets et ½ courgette. Réduisez la quantité de pois mange-tout à 50 g.

boulettes aux olives et au citron

Préparation **30 minutes**
Température de cuisson **basse**
Cuisson **6 à 8 heures**
Pour **4 personnes**

Boulettes
50 g d'**olives noires** dénoyautées et hachées
le **zeste** râpé de ½ **citron**
500 g de **bœuf haché extra-maigre**
1 **jaune d'œuf**
1 c. à s. d'**huile d'olive**

Sauce
1 **oignon** haché
2 gousses d'**ail** pilées
400 g de **tomates concassées** en boîte
1 c. à c. de **sucre en poudre**
150 ml de **bouillon de poule**
sel et **poivre**

Pour décorer
petites feuilles de **basilic**

Pour servir
tagliatelles mélangées à du **basilic** ciselé et du **beurre** fondu

Préchauffez le mijoteur si nécessaire (consultez le mode d'emploi de votre appareil). Préparez les boulettes. Mettez tous les ingrédients à l'exception de l'huile d'olive dans un saladier. Mélangez le tout avec une cuillère en bois. Mouillez vos mains et façonnez 20 boulettes.

Faites chauffer l'huile d'olive dans une grande poêle. Faites-y revenir les boulettes à feu vif, en les tournant, jusqu'à ce qu'elles soient dorées. Sortez-les de la poêle à l'aide d'une écumoire et posez-les sur une assiette.

Préparez la sauce. Faites revenir l'oignon 5 minutes dans la poêle, en remuant. Ajoutez l'ail, les tomates, le sucre, le bouillon de poule, du sel et du poivre. Portez à ébullition en remuant.

Posez les boulettes dans le faitout du mijoteur. Nappez-les de sauce chaude, posez le couvercle et faites cuire 6 à 8 heures à température basse. Décorez avec des feuilles de basilic et servez. Proposez en accompagnement des tagliatelles mélangées à du basilic ciselé et du beurre fondu.

Pour des boulettes aux fines herbes et à l'ail, remplacez les olives et le zeste de citron par 2 gousses d'ail finement hachées et 3 cuillerées à soupe de basilic ciselé. Mélangez les ingrédients, façonnez 20 boulettes et faites cuire dans la sauce, comme ci-dessus. Ajoutez une petite poignée de feuilles de basilic dans la sauce juste avant de servir.

poulet à la moutarde

Préparation **15 minutes**
Température de cuisson
basse
Cuisson **8 h 15 à 10 h 15**
Pour **4 personnes**

15 g de **beurre**
1 c. à s. d'**huile de tournesol**
4 **hauts-de-cuisses**
et 4 **pilons de poulet**
4 tranches de **poitrine fumée**
coupées en morceaux
400 g de **poireaux** émincés,
blanc et vert séparés
2 c. à s. de **farine ordinaire**
600 ml de **bouillon de poule**
3 c. à c. de **moutarde**
à l'ancienne
sel et **poivre**

Pour servir
purée de pomme de terre

Préchauffez le mijoteur si nécessaire (consultez le mode d'emploi de votre appareil). Faites chauffer le beurre et l'huile dans une poêle. Faites-y revenir les morceaux de poulet à feu vif, jusqu'à ce qu'ils soient dorés des deux côtés. À l'aide d'une écumoire, posez la viande dans le faitout de l'appareil.

Faites revenir les lardons et le blanc des poireaux 5 minutes dans la poêle, en remuant, jusqu'à ce qu'ils commencent à dorer. Ajoutez la farine puis versez progressivement le bouillon de poule. Ajoutez la moutarde, un peu de sel et de poivre. Portez à ébullition. Transvasez la préparation dans le faitout, posez le couvercle et faites cuire 8 à 10 heures à température basse.

Ajoutez le vert des poireaux dans le faitout du mijoteur. Remuez, remettez le couvercle et faites cuire encore 15 minutes à température basse, jusqu'à ce que les poireaux commencent à ramollir. Répartissez la préparation dans des assiettes creuses. Proposez une purée de pomme de terre en accompagnement.

Pour un poulet aux saucisses de Francfort, faites revenir le poulet comme ci-dessus. Égouttez puis placez dans le faitout du mijoteur. Faites revenir 1 oignon haché 5 minutes dans la poêle, avec 4 saucisses de Francfort coupées en rondelles. Ajoutez la farine puis versez progressivement le bouillon. Ajoutez la moutarde, du sel et du poivre comme ci-dessus. Ajoutez 200 g de maïs doux en boîte, égoutté. Transvasez la préparation dans le faitout et faites cuire 8 à 10 heures à température basse.

ragoût de bœuf à la bière

Préparation **15 minutes**
Température de cuisson **basse**
Cuisson **9 à 10 heures**
Pour **4 personnes**

1 c. à s. d'**huile de tournesol**
625 g de **bœuf à braiser extra-maigre**
1 **oignon** haché
1 c. à s. de **farine ordinaire**
250 g de **carottes** coupées en morceaux
250 g de **pommes de terre** ou de **panais** coupés en morceaux
300 ml de **bière légère**
750 ml de **bouillon de bœuf**
1 petit bouquet de **fines herbes** mélangées ou 1 **bouquet garni séché**
sel et **poivre**
100 g d'**orge perlé**

Préchauffez le mijoteur si nécessaire (consultez le mode d'emploi de votre appareil). Faites chauffer l'huile dans une poêle. Faites-y revenir les morceaux de bœuf à feu vif, jusqu'à ce qu'ils soient dorés. Sortez la viande de la poêle à l'aide d'une écumoire et placez-la dans le faitout de l'appareil.

Faites revenir l'oignon 5 minutes dans la poêle, en remuant. Ajoutez la farine, les carottes, les panais ou les pommes de terre, ainsi que la bière. Portez à ébullition en remuant. Versez cette préparation dans le faitout.

Versez le bouillon de bœuf dans la poêle, avec les fines herbes, un peu de sel et de poivre. Portez à ébullition puis versez dans le faitout. Ajoutez l'orge perlé, couvrez et faites cuire 9 à 10 heures à température basse. Proposez éventuellement des croûtons aux herbes en accompagnement (voir ci-dessous).

Pour préparer des croûtons aux herbes à servir en accompagnement, mélangez ensemble 2 cuillerées à soupe de persil ciselé, 2 cuillerées à soupe de ciboulette ciselée, 1 cuillerée à soupe d'estragon ciselé, un peu de poivre noir et 75 g de beurre en pommade. Coupez ½ baguette en tranches épaisses. Faites légèrement griller le pain puis tartinez-le de beurre aux fines herbes.

faisan rôti aux châtaignes

Préparation **15 minutes**
Température de cuisson **élevée**
Cuisson **3 à 4 heures**
Pour **2 à 3 personnes**

1 **faisan** d'environ 750 g
25 g de **beurre**
1 c. à s. d'**huile d'olive**
200 g d'**échalotes** coupées en deux
50 g de **poitrine fumée** ou de **pancetta** coupées en petits morceaux
2 branches de **céleri** coupées en gros tronçons
1 c. à s. de **farine ordinaire**
300 ml de **bouillon de poule**
4 c. à s. de **xérès sec**
100 g de **châtaignes** sous vide, prêtes à l'emploi
2 ou 3 brins de **thym**
sel et **poivre**

Pour servir
gratin dauphinois

Préchauffez le mijoteur si nécessaire. Rincez soigneusement l'intérieur et l'extérieur du faisan sous l'eau froide. Épongez-le avec du papier absorbant.

Faites chauffer le beurre et l'huile d'olive dans une poêle. Faites-y dorer le faisan, côté blancs vers le bas, avec les échalotes, les lardons et le céleri. Tournez de temps en temps le faisan et remuez les autres ingrédients. Placez le faisan dans le faitout du mijoteur, côté blancs vers le bas.

Ajoutez la farine dans la poêle puis versez progressivement le bouillon de poule et le xérès. Ajoutez ensuite les châtaignes, le thym, un peu de sel et de poivre. Portez à ébullition, en remuant, puis versez ce mélange sur le faisan. Couvrez et faites cuire 3 à 4 heures à température élevée. Vérifiez la cuisson en enfonçant la lame d'un couteau tranchant dans les parties les plus charnues du faisan : il est cuit si du jus transparent s'en écoule. Découpez le faisan. Coupez les blancs en tranches épaisses. Proposez un gratin dauphinois en accompagnement.

Pour une pintade rôtie aux pruneaux, faites dorer une pintade de 1 kg à la place du faisan, comme ci-dessus. Placez la pintade dans le faitout du mijoteur. Ajoutez 2 cuillerées à soupe de farine dans la poêle, puis versez 450 ml de bouillon de poule et le xérès. Remplacez les châtaignes par 75 g de pruneaux coupés en deux et dénoyautés. Poursuivez comme ci-dessus, mais augmentez le temps de cuisson à 5 à 6 heures.

3.5
28
8
3
24
7
2.5
20
6
2
16
5
1.5
12
4
3
8
2
4
1

poissons & fruits de mer

truite des Caraïbes

Préparation **20 minutes**
Température de cuisson **élevée**
Cuisson **1 h 30 à 2 heures**
Pour **4 personnes**

4 petites **truites** parées (vidées, sans la tête ni les nageoires, rincées à l'eau froide)
1 c. à c. de **poivre de la Jamaïque** moulu
1 c. à c. de **paprika**
1 c. à c. de **coriandre en poudre**
sel et **poivre**
2 c. à s. d'**huile d'olive**
6 **oignons de printemps** coupés en tranches épaisses
1 **poivron rouge** épépiné et émincé
2 **tomates** hachées grossièrement
½ **piment rouge scotch bonnet** (ou autre), épépiné et haché
2 brins de **thym**
300 ml de **fumet de poisson**

Préchauffez le mijoteur si nécessaire (consultez le mode d'emploi de votre appareil). Faites 2 à 3 entailles de chaque côté des truites, avec un couteau tranchant. Dans une assiette, mélangez les épices, un peu de sel et de poivre. Tournez les truites dans ce mélange.

Faites chauffer l'huile d'olive dans une poêle. Faites-y revenir les truites jusqu'à ce qu'elles soient dorées des deux côtés sans être complètement cuites. Égouttez-les et placez-les dans le faitout du mijoteur, de manière qu'elles ne se chevauchent pas.

Mettez les ingrédients restants dans la poêle. S'il reste des épices dans l'assiette, ajoutez-les également. Portez à ébullition en remuant. Versez ce mélange sur les truites, couvrez et faites cuire 1 h 30 à 2 heures à température élevée.

Sortez les truites du faitout avec une pelle à poisson et posez-les sur les assiettes. Nappez de sauce et servez. Proposez du pain chaud en accompagnement, pour saucer.

harengs chauds au vinaigre

Préparation **15 minutes**
Température de cuisson **élevée**
Cuisson **1 h 30 à 2 heures**
Pour **4 personnes**

1 gros **oignon rouge** émincé
1 grosse **carotte** taillée en allumettes
1 grosse branche de **céleri** émincée
6 petits **harengs**
2 brins d'**estragon**
1 feuille de **laurier**
150 ml de **vinaigre de cidre**
25 g de **sucre en poudre**
600 ml d'**eau** bouillante
½ c. à c. de **grains de poivre** de différentes couleurs
sel
brins d'**estragon** pour décorer

Préchauffez le mijoteur si nécessaire (consultez le mode d'emploi de votre appareil). Mettez la moitié de l'oignon, de la carotte et du céleri dans le faitout de l'appareil. Videz les harengs, levez les filets et rincez-les sous l'eau froide. Posez les filets de hareng sur les légumes puis recouvrez-les avec le reste de légumes.

Ajoutez l'estragon, la feuille de laurier, le vinaigre et le sucre dans le faitout. Arrosez avec l'eau bouillante. Ajoutez les grains de poivre et un peu de sel. Couvrez et faites cuire 1 h 30 à 2 heures à température élevée.

Répartissez les harengs, les légumes et un peu du liquide de cuisson dans des assiettes creuses. Coupez éventuellement chaque filet en deux. Décorez avec des brins d'estragon. Vous pouvez proposer en accompagnement de la betterave au vinaigre, du concombre à l'aneth, du pain et du beurre.

Pour des harengs à la suédoise, suivez la recette ci-dessus, en ajoutant 2 brins d'aneth à la place de l'estragon et en augmentant la quantité du sucre à 50 g. Faites cuire puis laissez refroidir complètement. Proposez en accompagnement 8 cuillerées à soupe de crème aigre mélangées à 1 cuillerée à café de raifort, ainsi qu'une salade de concombre au vinaigre.

bouillon au miso et au saumon

Préparation **15 minutes**
Température de cuisson **basse** et **élevée**
Cuisson **1 h 40 à 2 h 10**
Pour **6 personnes**

4 tranches de **saumon** (environ 125 g chacune)
1 **carotte** émincée
4 **oignons de printemps** émincés
4 **champignons** (environ 125 g) émincés
1 gros **piment rouge** coupé en deux, épépiné et haché finement
2 cm de **gingembre frais,** pelé et haché finement
3 c. à s. de **miso**
1 c. à s. de **sauce soja foncée**
2 c. à s. de **mirin** (facultatif)
1,2 litre de **fumet de poisson** chaud
75 g de **pois gourmands** émincés
feuilles de **coriandre** pour décorer

Préchauffez le mijoteur si nécessaire (consultez le mode d'emploi de votre appareil). Rincez le saumon sous l'eau froide, égouttez-le puis placez-le dans le faitout de l'appareil. Disposez la carotte, les oignons, les champignons, le piment et le gingembre sur le poisson.

Ajoutez le miso, la sauce soja et le mirin au fumet de poisson chaud. Remuez jusqu'à dissolution du miso. Versez le mélange dans le faitout, sur le saumon et les légumes. Couvrez et faites cuire 1 h 30 à 2 heures à température basse, jusqu'à ce que le poisson soit fondant et la soupe très chaude.

Sortez les tranches de saumon du faitout, avec une pelle à poisson, et posez-les sur une assiette. Émiettez grossièrement le saumon, en éliminant la peau et d'éventuelles arêtes. Remettez les morceaux de poisson dans le faitout, avec les pois gourmands. Faites cuire 10 minutes à température élevée, puis répartissez la soupe dans des bols et décorez avec quelques feuilles de coriandre.

Pour un bouillon thaï, suivez la recette ci-dessus, en ajoutant 3 cuillerées à café de pâte de curry rouge, 3 petites feuilles de citronnier kaffir et 2 cuillerées à café de nuoc-mâm, à la place du miso et du mirin.

maquereaux aux pommes de terre

Préparation **20 minutes**
Température de cuisson **basse**
Cuisson **5 à 7 heures**
Pour **4 personnes**

500 g de **pommes de terre nouvelles,** brossées et coupées en tranches épaisses
1 c. à s. d'**huile d'olive**
1 **oignon** haché
½ **poivron rouge** épépiné et coupé en morceaux
½ **poivron jaune** épépiné et coupé en morceaux
1 gousse d'**ail** pilée
2 c. à c. de **harissa**
200 g de **tomates** coupées en gros morceaux
1 c. à s. de **concentré de tomate**
300 ml de **fumet de poisson**
sel et **poivre**
4 petits **maquereaux** (environ 300 g chacun), sans la tête et vidés

Préchauffez le mijoteur si nécessaire (consultez le mode d'emploi de votre appareil). Faites cuire les pommes de terre 4 à 5 minutes à l'eau bouillante. Égouttez-les et réservez-les.

Faites chauffer l'huile d'olive dans une poêle. Faites-y revenir l'oignon 5 minutes, en remuant. Ajoutez les poivrons et l'ail, et faites cuire encore 2 à 3 minutes. Ajoutez la harissa, les tomates, le concentré de tomate, le fumet de poisson, un peu de sel et de poivre. Portez à ébullition.

Versez les pommes de terre dans le faitout du mijoteur. Rincez abondamment les maquereaux, égouttez-les puis posez-les sur les pommes de terre, sans les faire se chevaucher. Versez la préparation aux tomates sur le tout, couvrez et faites cuire 5 à 7 heures à température basse.

Répartissez la préparation dans des assiettes creuses. Proposez des pitas chauds en accompagnement, si vous le souhaitez.

Pour des pommes de terre à la harissa et à la feta, suivez la recette ci-dessus, en supprimant les maquereaux. Parsemez la préparation aux tomates de 125 g de feta émiettée et de 50 g d'olives noires dénoyautées. Faites cuire comme ci-dessus. Saupoudrez de persil ciselé juste avant de servir.

macaronis au haddock

Préparation **15 minutes**
Température de cuisson **basse**
Cuisson **2 h 15 à 3 h 15**
Pour **4 personnes**

200 g de **macaronis**
1 c. à s. d'**huile d'olive**
1 **oignon** haché
50 g de **beurre**
50 g de **farine ordinaire**
450 ml de **lait UHT**
450 ml de **fumet de poisson**
175 g de **gruyère** râpé
¼ de c. à c. de **noix de muscade** râpée
sel et **poivre**
500 g de **haddock,** sans la peau, coupé en morceaux de 2,5 cm
200 g de **maïs doux** en boîte, égoutté
125 g d'**épinards** rincés, égouttés et hachés grossièrement

Pour servir
tomates cerises en grappes, grillées

Préchauffez le mijoteur si nécessaire (consultez le mode d'emploi de votre appareil). Dans un saladier, recouvrez les macaronis d'eau bouillante et laissez reposer 10 minutes.

Faites chauffer l'huile d'olive dans une cocotte. Faites-y fondre l'oignon 5 minutes à feu doux, en remuant. Ajoutez le beurre et laissez-le fondre, puis ajoutez la farine. Versez progressivement le lait. Portez à ébullition, en remuant jusqu'à obtention d'un mélange lisse. Ajoutez le fumet de poisson, 125 g de gruyère, la noix de muscade, du sel et du poivre. Portez de nouveau à ébullition, en remuant.

Égouttez les macaronis puis versez-les dans le faitout du mijoteur, avec le haddock et le maïs. Arrosez de bouillon et remuez. Couvrez et faites cuire 2 à 3 heures à température basse.

Ajoutez les épinards dans le faitout, remettez le couvercle et faites cuire 15 minutes à température basse. Sortez le faitout de l'appareil. Remuez. Revouvrez du gruyère râpé restant puis faites dorer sous le gril du four. Servez avec des tomates cerises en grappes, grillées.

thon al arrabiata

Préparation **20 minutes**
Température de cuisson **basse**
Cuisson **4 à 5 heures**
Pour **4 personnes**

1 c. à s. d'**huile d'olive**
1 **oignon** haché
2 gousses d'**ail** pilées
1 **poivron rouge** épépiné et coupé en morceaux
1 c. à c. de **paprika fumé** (pimentón)
¼ à ½ c. à c. de **piment rouge séché** pilé
400 g de **tomates concassées** en boîte
150 ml de **bouillon de légumes** ou de **fumet de poisson**
sel et **poivre**
200 g de **thon au naturel** en boîte, égoutté
375 g de **spaghettis**

Pour servir
parmesan fraîchement râpé
feuilles de **basilic**

Préchauffez le mijoteur si nécessaire (consultez le mode d'emploi de votre appareil). Faites chauffer l'huile d'olive dans une poêle. Faites-y revenir l'oignon 5 minutes, en remuant, jusqu'à ce qu'il commence à dorer.

Ajoutez l'ail, le poivron rouge, le paprika fumé et le piment, et poursuivez la cuisson 2 minutes. Ajoutez les tomates concassées, le bouillon de légumes ou le fumet de poisson, un peu de sel et de poivre. Portez à ébullition puis transvasez le tout dans le faitout du mijoteur. Émiettez grossièrement le thon et ajoutez-le dans le faitout. Couvrez et faites cuire 4 à 5 heures à température basse.

Avant de passer à table, portez une grande quantité d'eau à ébullition. Faites-y cuire les spaghettis environ 8 minutes. Égouttez-les puis ajoutez-les dans le faitout. Remuez et répartissez la préparation dans des assiettes creuses. Saupoudrez de parmesan râpé et de feuilles de basilic.

Pour des spaghettis double tomate, remplacez le thon par 75 g de tomates séchées émincées et 100 g de petits champignons de Paris. Faites cuire comme ci-dessus puis servez.

saumon poché à la chermoula

Préparation **15 minutes**
Température de cuisson **basse**
Cuisson **1 h 45 à 2 h 15**
Pour **4 personnes**

6 **oignons de printemps**
25 g de **persil**
25 g de **coriandre**
le **zeste** râpé et le **jus** de 1 **citron**
4 c. à s. d'**huile d'olive**
½ c. à c. de **graines de cumin** broyées grossièrement
sel et **poivre**
500 g de **filet de saumon** sans la peau (maximum 18 cm)
250 ml de **fumet de poisson**
6 c. à s. de **mayonnaise**
125 g de **mesclun**

Préchauffez le mijoteur si nécessaire. Hachez finement les oignons de printemps et les fines herbes. Ajoutez le zeste et le jus de citron, l'huile d'olive, les graines de cumin, du sel et du poivre.

Rincez le saumon sous l'eau froide, égouttez-le puis posez-le sur un grand morceau de papier d'aluminium, de la largeur du saumon. Pressez la moitié du mélange aux herbes de chaque côté du saumon puis placez ce dernier dans le faitout.

Portez le fumet de poisson à ébullition dans une petite cocotte. Arrosez-en le saumon. Couvrez et faites cuire 1 h 45 à 2 h 15 à température basse.

Sortez le saumon du faitout en vous aidant du papier d'aluminium. Mélangez le reste de préparation aux herbes avec la mayonnaise. Répartissez le mesclun sur 4 assiettes. Coupez le saumon en quatre et posez les morceaux sur le mesclun. Servez avec de la mayonnaise aux herbes en accompagnement.

Pour un saumon poché classique, supprimez la chermoula aux fines herbes. Rincez le saumon puis posez-le dans le faitout du mijoteur, sur un morceau de papier d'aluminium. Ajoutez ½ citron en tranches, ½ oignon émincé, 2 brins d'estragon, du sel et du poivre. Portez 200 ml de fumet de poisson et 4 cuillerées à soupe de vin blanc à ébullition dans une petite casserole. Arrosez-en le saumon et faites cuire comme ci-dessus. Égouttez et servez, avec une salade verte et de la mayonnaise nature.

calamars à la sauce puttanesca

Préparation **25 minutes**
Température de cuisson **basse**
Cuisson **3 h 30 à 4 h 30**
Pour **4 personnes**

500 g de **calamars** parés
1 c. à s. d'**huile d'olive**
1 **oignon** haché
2 gousses d'**ail** pilées
400 g de **tomates concassées** en boîte
150 ml de **fumet de poisson**
4 c. à c. de **câpres** égouttées
50 g d'**olives noires** dénoyautées
2 ou 3 brins de **thym** + quelques feuilles pour décorer (facultatif)
1 c. à c. de **graines de fenouil** broyées grossièrement
1 c. à c. de **sucre en poudre**
sel et **poivre**

Pour servir
linguine

Préchauffez le mijoteur si nécessaire (consultez le mode d'emploi de votre appareil). Détachez les tentacules des poches charnues des calamars. Rincez l'intérieur des poches à l'eau froide. Mettez-les dans une passoire. Égouttez, mettez les tentacules dans un petit récipient, couvrez et placez au réfrigérateur. Coupez les poches en tranches épaisses.

Faites chauffer l'huile d'olive dans une grande poêle. Faites-y dorer l'oignon 5 minutes, en remuant. Ajoutez l'ail et faites cuire encore 2 minutes. Ajoutez les tomates concassées, le fumet de poisson, les câpres, les olives, le thym, les graines de fenouil, le sucre, du sel et du poivre. Portez à ébullition.

Versez la sauce dans le faitout du mijoteur, ajoutez les tranches de calamar. Enfoncez ces dernières sous le niveau du liquide. Couvrez et faites cuire 3 à 4 heures à température basse.

Remuez puis ajoutez les tentacules, en les enfonçant sous le niveau du liquide. Poursuivez la cuisson 30 minutes à température basse. Servez cette sauce aux calamars mélangée à des linguine. Décorez de quelques feuilles de thym.

Pour des calamars au vin rouge et à la sauce tomate, remplacez le fumet de poisson, les câpres, les olives et les graines de fenouil par 150 ml de vin rouge. Faites cuire comme ci-dessus puis décorez avec du persil ciselé et servez avec du pain chaud et croustillant.

kedgeree aux maquereaux fumés

Préparation **15 minutes**
Température de cuisson **basse**
Cuisson **3 h 15 à 4 h 15**
Pour **4 personnes**

1 c. à s. d'**huile de tournesol**
1 **oignon** haché
1 c. à c. de **curcuma**
2 c. à s. de **chutney de mangue**
750 à 900 ml de **bouillon de légumes**
1 feuille de **laurier**
sel et **poivre**
175 g de **riz complet** à cuisson rapide
3 **filets de maquereaux** sans la peau (250 g)
100 g de **petits pois** surgelés
25 g de **cresson** ou de **roquette**
4 **œufs durs** coupés en quartiers

Préchauffez le mijoteur si nécessaire (consultez le mode d'emploi de votre appareil). Faites chauffer l'huile dans une poêle. Faites-y revenir l'oignon 5 minutes, en remuant, jusqu'à ce qu'il soit translucide et qu'il commence à dorer.

Ajoutez le curcuma, le chutney de mangue, le bouillon de légumes, la feuille de laurier, un peu de sel et de poivre. Portez à ébullition. Versez cette préparation dans le faitout du mijoteur puis ajoutez le riz et les filets de maquereaux, sans les superposer. Couvrez et faites cuire 3 à 4 heures à température basse, jusqu'à ce que le riz ait absorbé presque tout le liquide.

Ajoutez les petits pois et émiettez grossièrement le poisson. Ajoutez éventuellement un peu de bouillon chaud. Faites cuire encore 15 minutes. Ajoutez le cresson ou la roquette puis répartissez la préparation sur les assiettes. Décorez avec les quartiers d'œufs.

Pour un kedgeree au haddock et à la cardamome, suivez la recette ci-dessus, en remplaçant le chutney de mangue par 4 gousses de cardamome broyées. Remplacez également les maquereaux par 400 g de filets de haddock coupés en deux. Poursuivez comme ci-dessus, en ajoutant les petits pois et les œufs durs à la fin, mais en supprimant le cresson ou la roquette. Garnissez de 4 cuillerées à soupe de crème fraîche.

saumon poché au beurre blanc

Préparation **25 minutes**
Température de cuisson **basse**
Cuisson **1 h 45 à 2 h 15**
Pour **4 personnes**

100 g de **beurre**
1 gros **oignon** émincé
1 **citron** coupé en tranches + quelques rondelles pour décorer
500 g de **filet de saumon** (maximum 18 cm)
sel et **poivre**
1 feuille de **laurier**
200 ml de **vin blanc sec**
150 ml de **fumet de poisson**
3 c. à s. de **ciboulette** ciselée + quelques pincées pour décorer

Préchauffez le mijoteur si nécessaire. Badigeonnez les parois du faitout avec un peu de beurre. Pliez un grand morceau de papier d'aluminium en trois puis posez-le dans le fond du faitout, en le faisant légèrement remonter le long des parois pour pouvoir tirer dessus en fin de cuisson. Disposez les lamelles d'oignon et la moitié des tranches de citron sur le papier d'aluminium. Posez le saumon, côté chair vers le haut. Salez et poivrez puis ajoutez la feuille de laurier et le reste de rondelles de citron.

Portez à ébullition le vin et le fumet de poisson dans une cocotte, puis arrosez-en le saumon. Couvrez et faites cuire 1 h 45 à 2 h 15 à température basse.

Sortez le saumon du faitout en vous aidant du papier d'aluminium et en l'égouttant au maximum. Posez le poisson sur un plat de service, jetez la feuille de laurier, le citron et l'oignon. Filtrez le liquide de cuisson au-dessus d'une casserole. Faites bouillir 4 à 5 minutes, jusqu'à ce qu'il ne vous reste qu'environ 4 cuillerées à soupe de sauce.

Réduisez le feu et incorporez progressivement le reste de beurre, en petits dés, à l'aide d'un fouet, jusqu'à ce que la sauce devienne épaisse et crémeuse. Ajoutez la ciboulette ciselée et rectifiez l'assaisonnement.

Coupez le saumon en quatre, jetez la peau et répartissez-le sur les assiettes. Déposez un peu de sauce autour du poisson. Décorez de rondelles de citron et de ciboulette ciselée.

légumes

poivrons farcis

Préparation **20 minutes**
Température de cuisson **basse**
Cuisson **4 à 5 heures**
Pour **4 personnes**

4 **poivrons** de différentes couleurs
100 g de **riz complet** à cuisson rapide
410 g de **pois chiches** en boîte, égouttés
1 petit bouquet de **persil** haché grossièrement
1 petit bouquet de **menthe** hachée grossièrement
1 **oignon** haché finement
2 gousses d'**ail** pilées
½ c. à c. de **paprika fumé** (pimentón)
1 c. à c. de **poivre de la Jamaïque** moulu
sel et **poivre**
600 ml de **bouillon de légumes** chaud

Préchauffez le mijoteur si nécessaire (consultez le mode d'emploi de votre appareil). Coupez les « chapeaux » des poivrons du côté du pédoncule. Éliminez les graines.

Mélangez ensemble le riz, les pois chiches, le persil, la menthe, l'oignon, l'ail, le paprika fumé et le poivre de la Jamaïque. Salez et poivrez. Farcissez les poivrons de ce mélange puis disposez-les dans le faitout du mijoteur.

Versez le bouillon de légumes chaud autour des poivrons, couvrez et faites cuire 4 à 5 heures à température basse. Répartissez les poivrons farcis sur les assiettes et servez. Proposez en accompagnement une salade verte et du yaourt grec aux fines herbes.

Pour des poivrons farcis à la feta, suivez la recette ci-dessus mais remplacez le persil, la menthe, le paprika fumé et le poivre de la Jamaïque par 100 g de feta émiettée, 40 g de raisins secs, 1 petit bouquet de basilic ciselé et ¼ de cuillerée à café de poivre de la Jamaïque moulu.

ragoût de champignons

Préparation **30 minutes**
Température de cuisson **basse** et **élevée**
Cuisson **6 h 45 à 8 h 45**
Pour **4 personnes**

2 c. à s. d'**huile d'olive**
1 **oignon** haché
2 gousses d'**ail** pilées
500 g de **champignons de Paris** (blancs et bistre), coupés en morceaux
1 c. à s. de **farine ordinaire**
200 ml de **vin rouge**
400 g de **tomates concassées** en boîte
150 ml de **bouillon de légumes**
1 c. à s. de **gelée de groseille**
2 ou 3 brins de **thym**
sel et **poivre**

Scones aux noix
200 g de **farine à levure incorporée**
50 g de **beurre** coupé en petits dés
50 g de **noix** hachées
75 g de **gruyère** râpé
sel et **poivre**
1 **œuf** battu
4 à 5 c. à s. de **lait**

Préchauffez le mijoteur si nécessaire. Faites chauffer l'huile d'olive dans une poêle. Faites-y revenir l'oignon, l'ail et les champignons 5 minutes, en remuant.

Ajoutez la farine puis versez le vin, les tomates et le bouillon de légumes. Ajoutez la gelée de groseille, le thym, du sel et du poivre. Portez à ébullition. Transvasez le mélange dans le faitout du mijoteur, couvrez et faites cuire 6 à 8 heures à température basse.

Avant de passer à table, préparez les scones. Versez la farine et le beurre dans un récipient. Travaillez du bout des doigts jusqu'à obtention d'un sable grossier. Ajoutez les noix, le gruyère, du sel et du poivre. Ajoutez la moitié de l'œuf puis incorporez suffisamment de lait pour obtenir une pâte lisse.

Pétrissez légèrement puis abaissez la pâte au rouleau sur un plan de travail fariné, sur une épaisseur de 2 cm. Découpez 8 disques de 6 cm de diamètre à l'aide d'un emporte-pièce. Refaites un pâton avec les chutes. Remuez la préparation dans le faitout puis disposez les petits disques de pâte sur le tour, en les faisant se chevaucher légèrement. Couvrez et faites cuire encore 45 minutes à température élevée, jusqu'à ce que la pâte ait bien gonflé. Sortez le faitout de l'appareil. Badigeonnez éventuellement la surface des scones avec le reste d'œuf battu et faites dorer sous le gril du four.

risotto aux haricots verts

Préparation **20 minutes**
Température de cuisson **basse**
Cuisson **2 h 05 à 2 h 30**
Pour **4 personnes**

25 g de **beurre**
1 c. à s. d'**huile d'olive**
1 **oignon** haché
2 gousses d'**ail** pilées
250 g de **riz à risotto**
1,2 litre de **bouillon de légumes** chaud
sel et **poivre**
2 c. à c. de **pesto**
125 g de **haricots verts extra-fins** surgelés
125 g de **petits pois** surgelés

Pour décorer
copeaux de **parmesan**
feuilles de **basilic**

Préchauffez le mijoteur si nécessaire (consultez le mode d'emploi de votre appareil). Faites chauffer le beurre et l'huile d'olive dans une cocotte. Faites-y revenir l'oignon 5 minutes, en remuant, jusqu'à ce qu'il soit translucide et qu'il commence à dorer.

Ajoutez l'ail et le riz, et faites revenir 1 minute. Versez le bouillon en en réservant 150 ml, salez et poivrez, puis portez à ébullition. Transvasez le tout dans le faitout du mijoteur, couvrez et faites cuire 1 h 45 à 2 heures à température basse.

Incorporez le pesto. Mouillez éventuellement avec le reste de bouillon. Étalez les légumes surgelés sur le riz, reposez le couvercle et faites cuire encore 20 à 30 minutes. Décorez avec des copeaux de parmesan et des feuilles de basilic, puis servez.

Pour un risotto à la sauge et à la pancetta, ajoutez dans la cocotte, 75 g de pancetta ou de poitrine fumée taillées en lardons, en même temps que vous faites revenir l'oignon. Ajoutez 2 brins de sauge au moment de verser le bouillon, à la place du pesto. Enfin, remplacez les feuilles de basilic par des petites feuilles de sauge.

salade chaude betteraves-haricots

Préparation **25 minutes**
Température de cuisson **basse**
Cuisson **3 h 15 à 4 h 15**
Pour **4 à 5 personnes**

1 c. à s. d'**huile d'olive**
1 gros **oignon** haché
500 g de **betteraves** crues, pelées et coupées en petits dés
820 g de **haricots rouges** en boîte, rincés et égouttés
450 ml de **bouillon de légumes**
sel et **poivre**

Pour servir
¼ de **concombre** taillé en petits dés
200 g de **yaourt nature**
sel et **poivre**
1 **romaine** ou 1 **laitue iceberg**
4 **oignons de printemps** émincés
4 c. à s. de feuilles de **coriandre** ou de **menthe** ciselées

Préchauffez le mijoteur si nécessaire (consultez le mode d'emploi de votre appareil). Faites chauffer l'huile d'olive dans une poêle. Faites-y revenir l'oignon 5 minutes, en remuant. Ajoutez les dés de betterave, les haricots égouttés et le bouillon de légumes. Salez et poivrez. Portez à ébullition en remuant.

Transvasez la préparation dans le faitout du mijoteur. Couvrez et faites cuire 3 h 15 à 4 h 15 à température basse. Remuez puis sortez le faitout de l'appareil.

Mélangez le concombre et le yaourt. Salez et poivrez. Disposez les feuilles de salade sur 4 ou 5 assiettes. Répartissez le mélange chaud aux dés de betterave sur la salade et finissez avec des cuillerées de yaourt au concombre. Décorez de lamelles d'oignon et de feuilles de coriandre ou de menthe et servez aussitôt.

Pour une salade chaude de betteraves à la feta et aux tomates, préparez le mélange betteraves-haricots comme ci-dessus. Mélangez ensemble 125 g de feta émiettée et 2 tomates coupées en morceaux. Épépinez et coupez en morceaux ½ poivron rouge ou orange puis ajoutez-le au mélange tomates-feta. Ajoutez 4 cuillerées à soupe de menthe ciselée et 2 cuillerées à soupe d'huile d'olive. Versez cette préparation sur le mélange betteraves-haricots. Agrémentez de 50 g de feuilles de roquette.

curry de patate douce à l'œuf

Préparation **15 minutes**
Température de cuisson **basse**
Cuisson **6 h 15 à 8 h 15**
Pour **4 personnes**

1 c. à s. d'**huile de tournesol**
1 **oignon** haché
1 c. à c. de **graines de cumin** broyées grossièrement
1 c. à c. de **coriandre moulue**
1 c. à c. de **curcuma**
1 c. à c. de **garam masala**
½ c. à c. de **piment rouge séché** pilé
300 g de **patates douces** coupées en dés
2 gousses d'**ail** pilées
400 g de **tomates concassées** en boîte
410 g de **lentilles** en boîte, égouttées
300 ml de **bouillon de légumes**
1 c. à c. de **sucre en poudre**
sel et **poivre**
6 **œufs**
150 g de **petits pois** surgelés
150 ml de **crème fraîche**
1 petit bouquet de **coriandre** ciselé

Préchauffez le mijoteur si nécessaire (consultez le mode d'emploi de votre appareil). Faites chauffer l'huile dans une poêle. Faites-y revenir l'oignon 5 minutes, en remuant.

Ajoutez les épices, le piment, les patates douces et l'ail, et faites revenir encore 2 minutes. Ajoutez les tomates, les lentilles, le bouillon de légumes, le sucre, un peu de sel et de poivre. Portez à ébullition, en remuant. Transvasez la préparation dans le faitout du mijoteur, couvrez et faites cuire 6 à 8 heures à température basse.

Avant de passer à table, placez les œufs dans une petite casserole. Recouvrez-les d'eau froide, portez à ébullition et laissez frémir 8 minutes. Égouttez les œufs, cassez la coquille et passez-les sous l'eau froide. Écalez les œufs puis coupez-les en deux et mettez-les dans le faitout, avec les petits pois, la crème fraîche et la moitié des feuilles de coriandre. Couvrez et faites cuire encore 15 minutes à température basse.

Répartissez la préparation dans des bols, décorez des feuilles de coriandre restantes et servez. Proposez du riz ou du pain naan chaud en accompagnement.

Pour un curry de patate douce au paneer, préparez le curry comme ci-dessus, en ajoutant 400 g de paneer (fromage indien) en dés à la place des œufs durs. Réduisez la quantité de petits pois à 100 g et ajoutez 100 g de petits épis de maïs, coupés en deux s'ils sont gros.

tourte champignons-châtaignes

Préparation **45 minutes**
Température de cuisson **élevée**
Cuisson **5 à 6 heures**
Pour **4 personnes**

Sauce
15 g de **beurre**
1 c. à s. d'**huile de tournesol**
1 **oignon** émincé
1 c. à s. de **farine ordinaire**
300 ml de **bouillon de légumes**
5 c. à s. de **porto rouge**
1 c. à c. de **moutarde de Dijon**
1 c. à c. de **concentré de tomate**
sel et **poivre**

Pâte
300 g de **farine à levure incorporée**
½ c. à c. de **sel**
150 g de **margarine**
2 c. à s. de feuilles de **romarin** ciselées
environ 200 ml d'**eau**

Garniture
1 gros **champignon à farcir** émincé
125 g de **champignons de Paris** bistre
200 g de **châtaignes** entières, pelées

Préchauffez le mijoteur si nécessaire (consultez le mode d'emploi de votre appareil). Préparez la sauce. Faites chauffer le beurre et l'huile dans une grande poêle. Faites-y revenir l'oignon 5 minutes, en remuant. Ajoutez la farine puis le bouillon de légumes, le porto, la moutarde et le concentré de tomate. Salez et poivrez. Portez à ébullition puis retirez du feu.

Préparez la pâte. Mélangez la farine, le sel, la margarine et le romarin. Ajoutez progressivement suffisamment d'eau pour obtenir une pâte lisse non collante. Pétrissez légèrement la pâte. Prélevez un quart de pâte et abaissez le restant au rouleau jusqu'à obtention d'un disque de 33 cm de diamètre.

Posez le disque de pâte dans un moule huilé d'une contenance de 1,25 litre. Alternez les couches de sauce, de champignons et de châtaignes, en finissant par la sauce.

Étalez le reste de pâte jusqu'à obtention d'un disque de la taille du moule. Mouillez le pourtour de la pâte dans le moule avec un peu d'eau puis posez le couvercle de pâte. Soudez les bords en pressant avec les doigts. Recouvrez l'ensemble de papier d'aluminium, en formant un léger dôme. Attachez le papier d'aluminium avec de la ficelle de cuisine puis placez le moule dans le faitout de l'appareil.

Versez de l'eau bouillante dans le faitout, jusqu'à mi-hauteur du moule. Couvrez et faites cuire 5 à 6 heures à température élevée.

tian épinards-courgette

Préparation **20 minutes**
Température de cuisson **élevée**
Cuisson **1 h 30 à 2 heures**
Pour **4 personnes**

50 g de **riz long**
beurre pour le moule
1 **tomate** coupée en tranches
1 c. à s. d'**huile d'olive**
½ **oignon** haché
1 gousse d'**ail** pilée
1 **courgette** (environ 175 g), râpée grossièrement
125 g d'**épinards** hachés grossièrement
3 **œufs**
6 c. à s. de **lait**
1 pincée de **noix de muscade**
sel et **poivre**
4 c. à s. de **menthe** ciselée

Préchauffez le mijoteur si nécessaire. Portez une petite casserole d'eau à ébullition. Versez-y le riz, portez de nouveau à ébullition puis laissez frémir 8 à 10 minutes. Pendant ce temps, beurrez un moule à soufflé de 14 cm de diamètre et de 9 cm de haut. Posez un disque de papier sulfurisé dans le fond. Disposez les tranches de tomate dans le fond du moule, en les faisant se chevaucher.

Faites chauffer l'huile d'olive dans une poêle. Faites-y revenir l'oignon 5 minutes, en remuant. Ajoutez l'ail, la courgette et les épinards, et faites cuire encore 2 minutes, jusqu'à ce que les épinards commencent à ramollir.

Fouettez les œufs, le lait, la noix de muscade, du sel et du poivre. Égouttez le riz et mélangez-le à la préparation aux épinards. Ajoutez la menthe, remuez puis versez le tout dans le moule. Posez un morceau de papier d'aluminium beurré sur le moule puis glissez ce dernier dans le faitout du mijoteur, avec des bandes d'aluminium (voir page 15).

Versez de l'eau bouillante dans le faitout jusqu'à mi-hauteur du moule. Couvrez et faites cuire 1 h 30 à 2 heures à température élevée. Sortez le moule du faitout, laissez reposer 5 minutes puis ôtez le papier d'aluminium et démoulez sur une assiette. Coupez des parts et servez chaud, avec une salade verte.

dum aloo

Préparation **15 minutes**
Température de cuisson **élevée**
Cuisson **6 h 15 à 7 h 15**
Pour **4 personnes**

2 c. à s. d'**huile de tournesol**
1 gros **oignon** émincé
1 c. à c. de **graines de cumin** broyées
4 **gousses de cardamome** broyées
1 c. à c. de **graines d'oignon noir** (facultatif)
1 c. à c. de **curcuma en poudre**
½ c. à c. de **cannelle en poudre**
2,5 cm de **gingembre frais**, pelé et haché finement
400 g de **tomates concassées** en boîte
300 ml de **bouillon de légumes**
1 c. à c. de **sucre en poudre**
sel et **poivre**
750 g de petites **pommes de terre nouvelles**
100 g de pousses d'**épinard**
feuilles de **coriandre**

Pour servir
pain naan chaud

Préchauffez le mijoteur si nécessaire (consultez le mode d'emploi de votre appareil). Faites chauffer l'huile dans une grande poêle. Faites-y revenir l'oignon 5 minutes, en remuant, jusqu'à ce qu'il soit légèrement doré.

Ajoutez les graines de cumin, les gousses de cardamome, les graines d'oignon noir, les épices en poudre et le gingembre. Faites revenir 1 minute puis ajoutez les tomates, le bouillon de légumes, le sucre, du sel et du poivre. Portez à ébullition en remuant.

Coupez les pommes de terre en tranches épaisses et régulières (ou en deux si elles sont petites). Transvasez-les dans le faitout du mijoteur et arrosez-les de sauce. Couvrez et faites cuire 6 à 7 heures à température élevée.

Ajoutez les épinards et faites cuire encore 15 minutes à température élevée, jusqu'à ce qu'ils commencent à ramollir. Remuez le curry, agrémentez de feuilles de coriandre ciselées et servez. Proposez du pain naan chaud en accompagnement, ainsi qu'un dhal (lentilles à l'indienne) et éventuellement du riz nature.

Pour un dum aloo au safran et aux pois chiches, supprimez le curcuma et ajoutez 2 grosses pincées de filaments de safran dans la poêle, en même temps que les tomates concassées. Réduisez la quantité de pommes de terre à 500 g. Égouttez une boîte de 410 g de pois chiches et ajoutez-les à la préparation. Faites cuire comme ci-dessus.

couscous aux 7 légumes

Préparation **25 minutes**
Température de cuisson **basse** et **élevée**
Cuisson **6 h 15 à 8 h 20**
Pour **4 personnes**

2 c. à s. d'**huile d'olive**
1 gros **oignon** haché
2 **carottes** coupées en dés
300 g de **rutabagas** coupés en dés
1 **poivron rouge** épépiné et haché
3 gousses d'**ail** pilées
200 g de **fèves** surgelées
400 g de **tomates concassées** en boîte
3 c. à c. de **harissa**
1 c. à c. de **curcuma en poudre**
2 cm de **gingembre frais,** pelé et haché finement
250 ml de **bouillon de légumes**
125 g de **gombos** coupés en tranches épaisses
sel et **poivre**
feuilles de **menthe** ciselées

Préchauffez le mijoteur si nécessaire (consultez le mode d'emploi de votre appareil). Faites chauffer l'huile d'olive dans une grande poêle. Faites-y revenir l'oignon 5 minutes, en remuant, jusqu'à ce qu'il soit légèrement doré.

Ajoutez les carottes, les rutabagas, le poivron rouge, l'ail, les fèves et les tomates. Incorporez ensuite la harissa, le curcuma et le gingembre puis versez le bouillon de légumes. Salez et poivrez. Portez à ébullition en remuant.

Transvasez la préparation dans le faitout du mijoteur, en enfonçant les légumes sous le niveau du liquide. Couvrez et faites cuire 6 à 8 heures à température basse.

Ajoutez les gombos, couvrez et faites cuire encore 15 à 20 minutes à température élevée, jusqu'à ce que les gombos soient tendres mais encore vert vif. Décorez de feuilles de menthe. Proposez en accompagnement du couscous parfumé à l'huile d'olive, au citron et aux raisins secs.

Pour un ragoût au bœuf, faites revenir l'oignon avec 300 g de bœuf haché puis ajoutez 1 carotte en morceaux, 150 g de rutabagas en dés, le poivron rouge, l'ail, 125 g de fèves surgelées et les tomates concassées. Ajoutez le reste des ingrédients et faites cuire 8 à 10 heures dans le mijoteur. Finissez avec les gombos, comme ci-dessus.

ratatouille et boulettes de ricotta

Préparation **25 minutes**
Température de cuisson **élevée**
Cuisson **3 h 15 à 4 h 20**
Pour **4 personnes**

3 c. à s. d'**huile d'olive**
1 **oignon** haché
1 **aubergine** coupée en tranches
2 **courgettes** (environ 375 g) coupées en tranches
1 **poivron rouge** épépiné et coupé en morceaux
1 **poivron jaune** épépiné et coupé en morceaux
2 gousses d'**ail** pilées
1 c. à s. de **farine ordinaire**
400 g de **tomates concassées** en boîte
300 ml de **bouillon de légumes**
2 ou 3 brins de **romarin**
sel et **poivre**

Boulettes
100 g de **farine ordinaire**
75 g de **ricotta**
le **zeste** râpé de ½ **citron**
sel et **poivre**
1 **œuf** battu

Préchauffez le mijoteur si nécessaire (consultez le mode d'emploi de votre appareil). Faites chauffer l'huile d'olive dans une poêle. Faites-y revenir l'oignon et l'aubergine 5 minutes, en remuant.

Ajoutez les courgettes, les poivrons et l'ail, et faites cuire encore 3 à 4 minutes. Ajoutez la farine puis les tomates, le bouillon de légumes et le romarin. Salez et poivrez. Portez à ébullition puis transvasez le tout dans le faitout du mijoteur. Couvrez et faites cuire 3 à 4 heures à température élevée.

Avant de passer à table, préparez les boulettes. Mettez la farine, la ricotta, le zeste de citron, un peu de sel et de poivre dans un saladier. Ajoutez l'œuf et malaxez jusqu'à obtention d'une pâte lisse non collante. Farinez vos mains et façonnez 12 boulettes.

Remuez la ratatouille. Posez les boulettes dans le faitout, sur les légumes. Remettez le couvercle et faites cuire encore 15 à 20 minutes, jusqu'à ce que les boulettes aient gonflé et soient fermes au toucher. Servez dans des bols. Dégustez ce plat avec une fourchette et une cuillère.

Pour une chakchouka, préparez la ratatouille comme ci-dessus. Lorsqu'elle est cuite, dessinez 4 creux dans les légumes. Cassez 1 œuf dans chaque dépression, couvrez et faites cuire 10 à 15 minutes à température élevée, jusqu'à ce que le blanc soit juste pris. Servez dans des assiettes creuses.

ragoût champignons-lentilles

Préparation **25 minutes**
Température de cuisson
basse
Cuisson **6 à 8 heures**
Pour **4 personnes**

2 c. à s. d'**huile d'olive** + un filet pour servir
1 gros **oignon** haché
3 gousses d'**ail** pilées
400 g de **tomates concassées** en boîte
300 ml de **bouillon de légumes**
150 ml de **vin rouge** (ou de **bouillon** supplémentaire)
1 c. à s. de **concentré de tomate**
2 c. à c. de **sucre**
sel et **poivre**
125 g de **lentilles vertes du Puy**
375 g de **champignons de Paris** coupés en deux ou en quatre
125 g de **champignons shiitake,** coupés en deux s'ils sont gros
4 gros **champignons sauvages** (environ 250 g)

Pour servir
palets de polenta frits
feuilles de **roquette**
copeaux de **parmesan**

Préchauffez le mijoteur si nécessaire (consultez le mode d'emploi de votre appareil). Faites chauffer l'huile d'olive dans une grande poêle. Faites-y revenir l'oignon 5 minutes, en remuant. Ajoutez l'ail, les tomates, le bouillon de légumes, le vin, le concentré de tomate, le sucre, du sel et du poivre. Versez les lentilles et portez à ébullition.

Mettez les champignons dans le faitout du mijoteur. Versez la préparation aux lentilles sur les champignons. Couvrez et faites cuire 6 à 8 heures à température basse, en remuant si possible une fois le ragoût en cours de cuisson.

Proposez en accompagnement des petits palets de polenta frits et une salade de roquette aux copeaux de parmesan, arrosée d'un filet d'huile d'olive.

Pour un ragoût champignons-lentilles au fromage, préparez et faites cuire le ragoût de champignons et de lentilles comme ci-dessus. Dans un récipient, mélangez ensemble 3 œufs, 250 g de yaourt nature, 75 g de feta râpée et 1 pincée de noix de muscade. Pressez la préparation aux champignons en une couche uniforme puis nappez-la de yaourt à la feta. Coupez 2 tomates en tranches et disposez-les sur le yaourt. Faites cuire encore 45 minutes à 1 h 15, à température élevée, jusqu'à ce que la garniture ait pris. Sortez le faitout du mijoteur et faites dorer sous le gril du four, si vous le souhaitez.

gnocchis au potiron et parmesan

Préparation **20 minutes**
Température de cuisson **basse**
Cuisson **6 à 8 heures**
Pour **4 personnes**

1 c. à s. d'**huile d'olive**
25 g de **beurre**
1 **oignon** émincé
2 gousses d'**ail** pilées
2 c. à s. de **farine ordinaire**
150 ml de **vin blanc sec**
300 ml de **bouillon de légumes**
2 ou 3 brins de **sauge** + quelques feuilles pour décorer (facultatif)
sel et **poivre**
400 g de chair de **potiron** (ou de courge butternut), coupée en dés
500 g de **gnocchis** bien froids
125 ml de **crème fraîche**
parmesan fraîchement râpé

Préchauffez le mijoteur si nécessaire. Faites chauffer l'huile d'olive et le beurre dans une poêle. Faites-y revenir l'oignon 5 minutes, en remuant.

Ajoutez l'ail et faites cuire encore 2 minutes, puis incorporez la farine. Versez progressivement le vin et le bouillon de légumes, et faites chauffer en remuant, jusqu'à obtention d'une sauce lisse. Ajoutez la sauge, salez et poivrez.

Mettez le potiron dans le faitout. Versez la sauce sur le potiron, en enfonçant ce dernier sous le niveau du liquide. Couvrez et faites cuire 6 à 8 heures à température basse.

Avant de passer à table, faites cuire les gnocchis 2 à 3 minutes dans une casserole d'eau bouillante, jusqu'à ce qu'ils remontent à la surface. Égouttez-les.

Ajoutez la crème fraîche puis les gnocchis à la préparation au potiron. Remuez. Servez dans des assiettes creuses. Saupoudrez de parmesan râpé et de petites feuilles de sauge.

Pour des pâtes au potiron et au dolcelatte, préparez le mélange au potiron comme ci-dessus. Faites cuire 250 g de rigatonis ou penne dans une casserole d'eau bouillante. Égouttez-les. Incorporez la crème fraîche à la préparation au potiron, puis ajoutez les pâtes à la place des gnocchis et remplacez le parmesan par 125 g de dolcelatte (fromage bleu italien) coupé en dés.

salade chaude à la betterave

Préparation **15 minutes**
Température de cuisson **basse**
Cuisson **6 à 8 heures**
Pour **4 personnes**

1 c. à s. d'**huile d'olive**
2 **oignons rouges** hachés grossièrement
1 botte de **betteraves** parées, pelées et coupées en dés de 1,5 cm de côté (environ 500 g)
1 **pomme rouge** coupée en dés
4 cm de **gingembre frais,** pelé et haché finement
4 c. à s. de **vinaigre de vin rouge**
2 c. à s. de **miel liquide**
450 ml de **bouillon de légumes**
sel et **poivre**

Pour décorer
crème aigre
aneth

Préchauffez le mijoteur si nécessaire (consultez le mode d'emploi de votre appareil). Faites chauffer l'huile d'olive dans une poêle. Faites-y revenir les oignons 5 minutes, en remuant.

Ajoutez les dés de betterave et faites cuire encore 3 minutes. Ajoutez ensuite la pomme, le gingembre, le vinaigre et le miel. Versez le bouillon de légumes, salez et poivrez légèrement, puis portez à ébullition. Transvasez le tout dans le faitout du mijoteur, en enfonçant les dés de betterave sous le niveau du liquide. Couvrez et faites cuire 6 à 8 heures à température basse.

Servez cette salade chaude en entrée, avec des cuillerées de crème aigre, et décorez de brins d'aneth. Vous pouvez aussi la proposer en accompagnement d'un rôti de porc ou de bœuf, ou froide, avec de la viande froide.

Pour une salade chaude de betteraves à l'orange et au carvi, suivez la recette ci-dessus en remplaçant le gingembre et le vinaigre par le zeste râpé et le jus de 1 orange et 1½ cuillerée à café de graines de carvi. Servez cette salade avec de la crème aigre, 1 pincée de paprika et quelques lanières de zeste d'orange.

tarka dhal

Préparation **15 minutes**
Température de cuisson **élevée**
Cuisson **3 à 4 heures**
Pour **4 personnes**

250 g de **lentilles rouges**
1 **oignon** haché finement
½ c. à c. de **curcuma**
½ c. à c. de **graines de cumin** broyées grossièrement
2 cm de **gingembre frais** pelé et haché finement
200 g de **tomates concassées** en boîte
600 ml de **bouillon de légumes** bouillant
sel et **poivre**
150 g de **yaourt nature**
feuilles de **coriandre** pour décorer
pain naan chaud pour servir

Tarka
1 c. à s. d'**huile de tournesol**
2 c. à c. de **graines de moutarde noire**
½ c. à c. de **graines de cumin** broyées grossièrement
1 pincée de **curcuma**
2 gousses d'**ail** pilées

Préchauffez le mijoteur si nécessaire (consultez le mode d'emploi de votre appareil). Rincez les lentilles sous l'eau froide. Égouttez-les puis mettez-les dans le faitout de l'appareil, avec l'oignon, les épices, le gingembre, les tomates et le bouillon de légumes bouillant.

Salez et poivrez légèrement. Posez le couvercle et faites cuire 3 à 4 heures à température élevée.

Avant de passer à table, préparez le tarka. Faites chauffer l'huile dans une petite poêle. Faites-y revenir tous les ingrédients du tarka, pendant 2 minutes, en remuant. Écrasez grossièrement la préparation aux lentilles puis répartissez-la dans des assiettes creuses. Ajoutez quelques cuillerées de yaourt et agrémentez de tarka. Décorez avec des feuilles de coriandre et servez du pain naan chaud en accompagnement.

Pour un tarka dhal aux épinards, faites cuire les lentilles comme ci-dessus, en ajoutant 125 g de feuilles d'épinard lavées et grossièrement hachées, 15 minutes avant la fin de la cuisson. Préparez le tarka comme ci-dessus, en ajoutant ¼ de cuillerée à café de graines de piment rouge séchées et broyées, si vous le souhaitez.

pommes de terre espagnoles

Préparation **15 minutes**
Température de cuisson **élevée**
Cuisson **4 à 5 heures**
Pour **4 personnes**

2 c. à s. d'**huile d'olive**
1 gros **oignon rouge** émincé
2 gousses d'**ail** pilées
1 c. à c. de **paprika fumé** (pimentón)
¼ à ½ c. à c. de **piment rouge séché**, pilé
1 **poivron rouge** épépiné et coupé en morceaux
1 **poivron jaune** épépiné et coupé en morceaux
400 g de **tomates concassées** en boîte
300 ml de **bouillon de légumes**
2 ou 3 brins de **thym**
50 g d'**olives** dénoyautées
sel et **poivre**
625 g de **pommes de terre** coupées en morceaux de 2,5 cm

Pour servir
pain croustillant

Préchauffez le mijoteur si nécessaire (consultez le mode d'emploi de votre appareil). Faites chauffer l'huile d'olive dans une poêle. Faites-y revenir l'oignon 5 minutes, en remuant, jusqu'à ce qu'il commence à dorer.

Ajoutez l'ail, le paprika fumé, le piment et les poivrons, et poursuivez la cuisson 2 minutes. Ajoutez les tomates, le bouillon de légumes, le thym, les olives, un peu de sel et de poivre. Portez à ébullition.

Mettez les pommes de terre dans le faitout du mijoteur. Versez la préparation à la tomate chaude sur les pommes de terre. Posez le couvercle et faites cuire 4 à 5 heures à température élevée. Proposez du pain chaud et croustillant en accompagnement, et éventuellement une salade verte.

Pour des patates douces espagnoles, suivez la recette ci-dessus, en remplaçant les pommes de terre par de la patate douce et en supprimant les olives. Faites cuire 3 à 4 heures à température élevée. Servez dans des assiettes creuses, avec des cuillerées de yaourt grec et quelques feuilles de coriandre ciselées pour décorer.

céleri braisé à l'orange

Préparation **10 minutes**
Température de cuisson **élevée**
Cuisson **4 à 5 heures**
Pour **4 à 6 personnes**

2 pieds de **céleri**
le **zeste** râpé et le **jus** de 1 petite **orange**
2 c. à s. de **sucre de canne blond**
400 g de **tomates concassées** en boîte
sel et **poivre**

Préchauffez le mijoteur si nécessaire (consultez le mode d'emploi de votre appareil). Coupez chaque pied de céleri en deux dans le sens de la longueur. Rincez sous l'eau froide pour enlever toute trace de terre. Égouttez et placez dans le faitout de l'appareil.

Mélangez ensemble les ingrédients restants. Arrosez-en le céleri. Couvrez et faites cuire 4 à 5 heures à température élevée. Pour obtenir une sauce plus épaisse, transvasez le liquide du faitout dans une casserole et faites bouillir 4 à 5 minutes pour faire réduire. Reversez cette sauce sur le céleri et servez, en accompagnement d'un poulet, de porc ou de canard rôti.

Pour du fenouil braisé à l'orange, remplacez le céleri par 3 petits bulbes de fenouil coupés en deux. Mettez le fenouil dans le faitout de l'appareil, avec les ingrédients restants, et faites cuire comme ci-dessus. Faites revenir 50 g de ciabatta émiettée dans 2 cuillerées à soupe d'huile d'olive et parsemez-en la préparation.

pilaf noix-abricots secs

Préparation **25 minutes**
Température de cuisson **basse**
Cuisson **3 heures à 3 h 30**
Pour **4 personnes**

1 c. à s. d'**huile d'olive**
1 gros **oignon** haché
75 g de **pistaches,** de **noix** et de **noisettes** mélangées
25 g de **graines de tournesol**
200 g de **riz complet** à cuisson rapide
1 litre de **bouillon de légumes**
75 g d'**abricots secs** hachés
25 g de **raisins de Corinthe**
1 **bâton de cannelle** coupé en deux
6 **clous de girofle**
3 feuilles de **laurier**
1 c. à s. de **concentré de tomate**
sel et **poivre**

Pour décorer
noix, **pistaches** et **noisettes** légèrement grillées

Préchauffez le mijoteur si nécessaire (consultez le mode d'emploi de votre appareil). Faites chauffer l'huile d'olive dans une poêle. Faites-y revenir l'oignon 5 minutes, en remuant, jusqu'à ce qu'il soit légèrement doré.

Ajoutez les pistaches, les noix et les noisettes ainsi que les graines de tournesol, et faites griller jusqu'à ce qu'elles soient légèrement dorées. Ajoutez le riz et le bouillon de légumes, puis les abricots secs, les raisins de Corinthe, les épices, les feuilles de laurier et le concentré de tomate. Salez et poivrez selon votre goût. Portez à ébullition en remuant.

Versez la préparation dans le faitout du mijoteur. Couvrez et faites cuire 3 heures à 3 h 30 à température basse, jusqu'à ce que le riz soit fondant et que le bouillon ait été absorbé. Jetez le bâton de cannelle, les clous de girofle et les feuilles de laurier avant de servir. Décorez avec des noix, des pistaches et des noisettes grillées.

Pour un pilaf aubergine-abricots secs, faites chauffer 3 cuillerées à soupe d'huile d'olive dans une poêle. Faites-y revenir l'oignon et 1 aubergine coupée en tranches jusqu'à ce qu'ils soient légèrement dorés. Poursuivez comme ci-dessus, en remplaçant les noix, les noisettes et les pistaches par des amandes puis en ajoutant les graines de tournesol, le riz, le bouillon de légumes, ainsi que 50 g d'abricots secs et 50 g de dattes dénoyautées et hachées. Ajoutez le reste des ingrédients et poursuivez comme ci-dessus.

desserts, boissons & conserves

bananes au rhum et à la vanille

Préparation **10 minutes**
Température de cuisson **basse**
Cuisson **1 h 30 à 2 heures**
Pour **4 personnes**

25 g de **beurre**
75 g de **sucre de canne blond**
le **zeste** râpé et le **jus** de 1 **citron vert**
1 **gousse de vanille** ou 1 c. à c. d'**extrait de vanille**
3 c. à s. de **rhum blanc** ou **ambré**
200 ml d'**eau** bouillante
6 petites **bananes** pelées et coupées en deux dans le sens de la longueur

Pour décorer
quelques lanières de **zeste de citron**

Préchauffez le mijoteur si nécessaire (consultez le mode d'emploi de votre appareil). Mettez le beurre, le sucre, le zeste et le jus de citron dans le faitout du mijoteur et remuez jusqu'à ce que le beurre ait fondu.

Fendez la gousse de vanille en deux dans le sens de la longueur, ouvrez-la avec un petit couteau tranchant et grattez les petites graines noires au-dessus du faitout (ou ajoutez l'extrait de vanille). Versez le rhum et l'eau bouillante.

Ajoutez les bananes dans le faitout, en une seule couche, en les enfonçant sous le niveau du liquide. Couvrez et faites cuire 1 h 30 à 2 heures à température basse.

Répartissez les bananes et la sauce au rhum dans des assiettes creuses. Décorez avec le zeste de citron. Accompagnez éventuellement de glace à la vanille.

Pour une variante à l'ananas et au cognac, préparez le sirop à la vanille comme ci-dessus, en remplaçant le rhum par du cognac. Enlevez la peau et les « yeux » de 1 ananas de taille moyenne puis coupez-le en tranches. Coupez chaque tranche en deux et éliminez la partie centrale coriace. Plongez les tranches dans le sirop, couvrez et faites cuire comme ci-dessus.

crèmes caramel

Préparation **20 minutes**
+ refroidissement
Température de cuisson
basse
Cuisson **2 h 30 à 3 h 30**
Pour **4 personnes**

beurre pour les moules
125 g de **sucre semoule**
125 ml d'**eau**
2 c. à s. d'**eau** bouillante
2 **œufs**
3 **jaunes d'œufs**
400 g de **lait concentré entier**
125 ml de **lait demi-écrémé**
le **zeste** râpé de ½ petit **citron**

Préchauffez le mijoteur si nécessaire. Beurrez 4 petits moules individuels d'une contenance de 250 ml. Faites chauffer le sucre et l'eau dans une petite casserole, à feu doux en remuant, jusqu'à dissolution du sucre.

Augmentez le feu et faites bouillir le sirop 5 minutes, sans remuer mais en surveillant la cuisson, jusqu'à ce qu'il soit doré. Retirez la casserole du feu et ajoutez les 2 cuillerées à soupe d'eau bouillante. Inclinez la casserole pour mélanger. Quand le mélange ne bout plus, versez le sirop dans les moules. Inclinez ces derniers pour bien enduire les parois de caramel.

Battez les œufs et les jaunes d'œufs dans un récipient, à l'aide d'une fourchette. Dans une casserole, portez à ébullition le lait concentré et le lait demi-écrémé. Avec un fouet, incorporez progressivement le lait bouillant aux œufs, jusqu'à obtention d'un mélange lisse. Filtrez le mélange au-dessus de la casserole puis ajoutez le zeste de citron.

Versez la crème dans les moules puis placez ces derniers dans le faitout du mijoteur. Recouvrez chaque moule de papier d'aluminium. Versez de l'eau bouillante dans le faitout, jusqu'à mi-hauteur des moules. Couvrez et faites cuire 2 h 30 à 3 h 30 à température basse. Sortez les moules du faitout, laissez refroidir puis placez 3 à 4 heures au réfrigérateur.

Trempez la base des moules 10 secondes dans de l'eau bouillante, détachez la crème des parois, puis démoulez sur des assiettes.

poires au safran et chocolat

Préparation **20 minutes**
Température de cuisson **basse**
Cuisson **3 à 4 heures**
Pour **4 personnes**

300 ml de **jus de pomme trouble**
3 c. à s. de **sucre en poudre**
1 grosse pincée de **filaments de safran**
4 **gousses de cardamome** broyées grossièrement
4 **poires** mûres mais fermes

Sauce au chocolat
4 c. à s. de **pâte à tartiner au chocolat et aux noisettes**
2 c. à s. de **crème fraîche**
2 c. à s. de **lait**

Préchauffez le mijoteur si nécessaire (consultez le mode d'emploi de votre appareil). Versez le jus de pomme dans une petite casserole. Ajoutez le sucre, le safran, la cardamome et ses petites graines noires. Portez à ébullition puis transvasez le tout dans le faitout de l'appareil.

Coupez les poires en deux dans le sens de la longueur, sans casser la tige, puis pelez-les. Retirez le trognon avec une petite cuillère. Mettez les poires dans le faitout, en les enfonçant sous le niveau du liquide. Couvrez et faites cuire 3 à 4 heures à température basse.

Avant de passer à table, mettez les ingrédients de la sauce au chocolat dans une petite casserole et faites chauffer, en remuant, jusqu'à obtention d'un mélange lisse. Répartissez les poires dans des assiettes creuses et arrosez-les de sauce au safran. Servez la sauce au chocolat à part, dans une saucière. Proposez de la glace à la vanille ou de la crème fraîche en accompagnement.

Pour des poires épicées au vin rouge, faites chauffer 150 ml de vin rouge avec 150 ml d'eau, 50 g de sucre en poudre, le zeste de ½ petite orange, 1 petit bâton de cannelle cassé en deux et 4 clous de girofle. Versez ce mélange dans le faitout du mijoteur, ajoutez 4 poires pelées et coupées en deux puis couvrez et faites cuire comme ci-dessus. Servez, avec des cuillerées de crème fraîche.

petites crèmes au citron

Préparation **15 minutes**
+ refroidissement
Température de cuisson
basse
Cuisson **2 heures à 2 h 30**
Pour **6 personnes**

2 **œufs**
3 **jaunes d'œufs**
100 g de **sucre en poudre**
le **zeste** râpé de 2 **citrons**
et le **jus** de 1 **citron**
300 ml de **crème fraîche**

Pour servir
150 g de **myrtilles**

Préchauffez le mijoteur si nécessaire (consultez le mode d'emploi de votre appareil). Fouettez ensemble les œufs, les jaunes d'œufs, le sucre et le zeste de citron.

Faites chauffer la crème fraîche dans une petite casserole. Aux premiers bouillons, incorporez progressivement la crème à la préparation aux œufs. Filtrez le jus de citron et incorporez-le également, avec un fouet.

Versez la préparation dans 6 tasses à café puis placez ces dernières dans le faitout, du mijoteur. Versez de l'eau bouillante dans le faitout, jusqu'à mi-hauteur des tasses. Posez un morceau de papier sulfurisé sur les tasses et faites cuire 2 heures à 2 h 30 à température basse jusqu'à ce que la crème ait pris.

Sortez délicatement les tasses du faitout et laissez refroidir. Placez au réfrigérateur au moins 3 à 4 heures.

Posez les tasses sur leur soucoupe, décorez avec quelques myrtilles et servez.

Pour des crèmes au citron vert et à la fleur de sureau, préparez les petites crèmes comme ci-dessus, en remplaçant le zeste et le jus de citron par le zeste et le jus de 2 citrons verts et 2 cuillerées à soupe de sirop de fleur de sureau. Faites cuire les crèmes dans des tasses à café et servez-les bien froides, avec des fraises fraîches arrosées d'un filet de sirop de fleur de sureau.

petits gâteaux au chocolat

Préparation **20 minutes**
Température de cuisson **élevée**
Cuisson **1 h 15 à 1 h 30**
Pour **4 personnes**

125 g de **chocolat noir** cassé en morceaux + 8 petits carrés
75 g de **beurre**
2 **œufs**
2 **jaunes d'œufs**
75 g de **sucre en poudre**
½ c. à c. d'**extrait de vanille**
40 g de **farine ordinaire**

Pour décorer
sucre glace tamisé
mini-marshmallows
glace à la vanille ou **crème fraîche**

Préchauffez le mijoteur si nécessaire. Faites chauffer les 125 g de chocolat et le beurre dans une casserole sur feu doux, en remuant, jusqu'à ce que le chocolat soit fondu. Retirez la casserole du feu et réservez.

Fouettez les œufs entiers, les jaunes d'œufs, le sucre et l'extrait de vanille dans un grand saladier, pendant 3 à 4 minutes, à l'aide d'un fouet électrique, jusqu'à obtention d'un mélange léger et mousseux. Incorporez progressivement le chocolat fondu.

Tamisez la farine au-dessus du saladier. Mélangez. Beurrez 4 petits moules individuels d'une contenance de 250 ml et chemisez-en le fond de papier sulfurisé. Versez-y la préparation. Enfoncez 2 carrés de chocolat au centre de chaque petit gâteau. Posez sur chaque moule un petit morceau de papier d'aluminium beurré.

Placez les moules dans le faitout du mijoteur. Versez de l'eau bouillante dans le faitout, jusqu'à mi-hauteur des moules. Couvrez et faites cuire 1 h 15 à 1 h 30 à température élevée. Les petits gâteaux doivent être souples au toucher.

Démoulez les gâteaux sur des petites assiettes et ôtez le papier sulfurisé. Saupoudrez de sucre glace tamisé, décorez avec quelques petits marshmallows et servez avec de la glace à la vanille ou de la crème fraîche.

gâteau de polenta aux prunes

Préparation **30 minutes**
Température de cuisson **élevée**
Cuisson **3 heures à 3 h 30**
Pour **6 personnes**

150 g de **beurre** à température ambiante + une noisette pour le moule
200 g de **prunes rouges** dénoyautées et coupées en deux
150 g de **sucre en poudre**
2 **œufs** battus
100 g de **poudre d'amandes**
50 g de **polenta fine**
½ c. à c. de **levure chimique**
le **zeste** râpé et le **jus** de ½ **orange**

Pour décorer
2 c. à s. d'**amandes effilées** grillées
sucre glace tamisé

Préchauffez le mijoteur si nécessaire. Beurrez un moule rond ou ovale de 1,2 litre adapté à la taille du mijoteur. Chemisez le fond de papier sulfurisé. Disposez les moitiés de prune dans le moule, côté coupé vers le haut, en cercles concentriques.

Travaillez le beurre et le sucre jusqu'à obtention d'un mélange léger. Incorporez progressivement les œufs et la poudre d'amande, à l'aide d'un fouet. Ajoutez la polenta, la levure, le zeste et le jus d'orange. Fouettez jusqu'à obtention d'une pâte lisse.

Versez le mélange sur les prunes. Lissez la surface avec un couteau. Couvrez le moule avec du papier d'aluminium beurré puis placez-le dans le faitout du mijoteur, sur une soucoupe retournée ou 2 petits ramequins individuels. Versez de l'eau bouillante dans le faitout, jusqu'à mi-hauteur du moule. Couvrez et faites cuire 3 heures à 3 h 30 à température élevée, jusqu'à ce que le dessus du gâteau soit sec et souple au toucher.

Sortez le moule du faitout. Retirez le papier d'aluminium et laissez refroidir légèrement. Démoulez le gâteau. Retirez le papier sulfurisé, décorez d'amandes effilées grillées et saupoudrez de sucre glace tamisé. Servez chaud ou froid, avec de la crème fouettée.

Pour un gâteau de polenta à la pomme, remplacez les prunes par 2 pommes braeburn pelées et coupées en grosses tranches puis mélangées au zeste râpé et au jus de ½ citron.

petits puddings à l'ananas

Préparation **20 minutes**
Température de cuisson **élevée**
Cuisson **2 heures à 2 h 30**
Pour **4 personnes**

beurre pour les moules
4 c. à s. de **golden syrup**
2 c. à s. de **sucre de canne blond**
220 g de tranches d'**ananas** en boîte, égouttées et coupées en morceaux
40 g de **cerises confites** hachées grossièrement

Génoise
50 g de **beurre** à température ambiante ou de **margarine**
50 g de **sucre en poudre**
50 g de **farine à levure incorporée**
25 g de **noix de coco séchée**
1 **œuf**
1 c. à s. de **lait**

Préchauffez le mijoteur si nécessaire (consultez le mode d'emploi de votre appareil). Beurrez 4 petits moules individuels d'une contenance de 250 ml et chemisez le fond de papier sulfurisé. Versez dans chaque moule 1 cuillerée à soupe de golden syrup et ½ cuillerée à soupe de sucre. Répartissez ensuite les trois quarts de l'ananas et des cerises confites.

Mélangez tous les ingrédients de la génoise ainsi que le reste d'ananas et de cerises dans un récipient.

Répartissez cette préparation dans les moules. Lissez la surface avec le dos d'une petite cuillère puis recouvrez chaque moule avec du papier d'aluminium beurré. Placez les moules dans le faitout du mijoteur puis versez de l'eau bouillante jusqu'à mi-hauteur des moules. Couvrez et faites cuire 2 heures à 2 h 30 à température élevée, jusqu'à ce que la génoise ait bien gonflé et soit souple au toucher.

Retirez le papier d'aluminium. Démoulez les puddings dans des assiettes creuses. Retirez le papier sulfurisé et servez avec de la crème anglaise tiède.

Pour des puddings aux prunes et aux amandes, versez le golden syrup et le sucre dans le fond des petits moules, puis remplacez l'ananas et les cerises confites par 4 prunes rouges dénoyautées et coupées en tranches. Préparez la génoise, en supprimant la noix de coco et en ajoutant 25 g de poudre d'amande et quelques gouttes d'extrait d'amande.

pudding pain-chocolat

Préparation **35 minutes**
Température de cuisson **basse**
Cuisson **4 heures à 4 h 30**
Pour **4 à 5 personnes**

50 g de **beurre** à température ambiante
½ **baguette** coupée en tranches fines
100 g de **chocolat blanc** haché
4 **jaunes d'œufs**
50 g de **sucre en poudre** + 3 c. à s. pour la caramélisation
150 ml de **crème fraîche**
300 ml de **lait**
1 c. à c. d'**extrait de vanille**

Coulis de myrtille
125 g de **myrtilles**
1 c. à s. de **sucre en poudre**
4 c. à s. d'**eau**

Pour décorer
un peu de **chocolat blanc** haché
quelques **myrtilles**

Préchauffez le mijoteur si nécessaire. Beurrez les tranches de pain. Disposez-les dans un moule de 1,2 litre adapté à la taille de votre mijoteur. Répartissez le chocolat haché entre les couches de pain.

Fouettez les jaunes d'œufs et le sucre dans un saladier. Faites chauffer la crème fraîche et le lait dans une casserole. Aux premiers bouillons, incorporez progressivement la préparation bouillante au mélange œufs-sucre. Enfin, incorporez l'extrait de vanille. Versez la crème dans le moule, sur les tranches de pain, et laissez reposer 10 minutes.

Recouvrez le moule avec du papier d'aluminium puis glissez-le dans le faitout de l'appareil, en prévoyant des bandes d'aluminium pour le sortir (voir page 15). Versez de l'eau bouillante dans le faitout, jusqu'à mi-hauteur du moule. Couvrez et faites cuire 4 heures à 4 h 30 à température basse.

Préparez le coulis. Réduisez les myrtilles en purée avec le sucre et l'eau. Versez le coulis dans une saucière et réservez.

Sortez le moule du faitout. Retirez le papier d'aluminium et saupoudrez de sucre. Faites caraméliser sous le gril du four ou à l'aide d'un chalumeau. Répartissez le pudding dans des assiettes creuses, décorez de chocolat blanc haché et de quelques myrtilles fraîches. Remuez le coulis et versez-le en filet sur le pudding.

gâteau citron-pavot

Préparation **25 minutes**
Température de cuisson **élevée**
Cuisson **4 h 30 à 5 heures**
Pour **6 à 8 personnes**

125 g de **beurre** à température ambiante + une noisette pour le moule
125 g de **sucre en poudre**
2 **œufs** battus
125 g de **farine à levure incorporée**
2 c. à s. de **graines de pavot**
le **zeste** râpé de 1 **citron**
lanières de **zeste de citron** pour décorer
crème fraîche pour servir

Sirop de citron
le **jus** de 1½ citron
125 g de **sucre en poudre**

Préchauffez le mijoteur si nécessaire. Beurrez un moule à soufflé de 14 cm de diamètre et de 9 cm de haut. Chemisez le fond de papier sulfurisé.

Travaillez le beurre et le sucre dans un bol, avec une cuillère en bois ou un batteur électrique. Incorporez progressivement les œufs battus et la farine, alternativement. Ajoutez les graines de pavot et le zeste de citron puis versez la préparation dans le moule. Lissez la surface. Recouvrez le moule avec du papier d'aluminium beurré puis placez-le dans le faitout du mijoteur, en prévoyant des bandes d'aluminium pour pouvoir le sortir (voir page 15).

Versez de l'eau bouillante dans le faitout, jusqu'à mi-hauteur du moule. Couvrez et faites cuire 4 h 30 à 5 heures à température élevée.

Sortez le moule du faitout, retirez le papier d'aluminium et détachez le gâteau des parois à l'aide d'un couteau. Démoulez le gâteau sur une assiette. Faites chauffer le jus de citron et le sucre. Dès que le sucre est dissous, versez le sirop sur le gâteau. Laissez refroidir. Coupez des parts, décorez avec le zeste de citron et servez avec de la crème fraîche.

Pour un gâteau aux agrumes, remplacez le zeste de citron et les graines de pavot dans la pâte par le zeste râpé de ½ citron, de ½ citron vert et de ½ petite orange. Préparez le sirop en utilisant le jus des fruits dont vous avez prélevé le zeste.

pudding pomme-caramel

Préparation **30 minutes**
Température de cuisson **élevée**
Cuisson **3 heures à 3 h 30**
Pour **4 à 5 personnes**

50 g de **beurre** + une noisette pour le moule
150 g de **farine à levure incorporée**
100 g de **sucre roux**
2 **œufs**
2 c. à s. de **lait**
1 **pomme** coupée en petits morceaux
glace à la vanille, crème fraîche ou **crème fleurette** pour servir

Sauce
125 g de **sucre roux**
25 g de **beurre** en petits dés
300 ml d'**eau** bouillante

Préchauffez le mijoteur si nécessaire. Beurrez un moule à soufflé de 14 cm de diamètre et de 9 cm de haut. Versez la farine dans un saladier. Ajoutez le beurre et travaillez le mélange du bout des doigts jusqu'à obtention d'un sable grossier. Ajoutez le sucre puis les œufs et le lait. Mélangez jusqu'à obtention d'une pâte lisse. Ajoutez les morceaux de pomme.

Versez la pâte dans le moule puis lissez la surface. Saupoudrez le sucre pour la sauce sur la surface du gâteau. Recouvrez de petits morceaux de beurre et finissez avec l'eau bouillante. Posez du papier d'aluminium sur le moule.

Placez le moule dans le faitout du mijoteur, en vous aidant de bandes d'aluminium (voir page 15). Versez de l'eau bouillante dans le faitout, jusqu'à mi-hauteur du moule. Couvrez et faites cuire 3 heures à 3 h 30 à température élevée.

Sortez le moule du faitout, retirez le papier d'aluminium et détachez le gâteau des parois du moule. Posez un plat sur le moule, suffisamment grand pour pouvoir recueillir la sauce, puis retournez l'ensemble pour démouler. Servez avec de la glace à la vanille, de la crème fraîche ou de la crème fleurette.

Pour un pudding à la banane, préparez le pudding comme ci-dessus, en remplaçant la pomme par 1 petite banane mûre écrasée et ½ cuillerée à café de cannelle en poudre.

gâteau jamaïcain au gingembre

Préparation **25 minutes**
Température de cuisson **élevée**
Cuisson **4 h 30 à 5 heures**
Pour **6 personnes**

100 g de **beurre** + une noisette pour le moule
100 g de **sucre roux**
100 g de **golden syrup**
100 g de **dattes** dénoyautées
100 g de **farine complète**
100 g de **farine à levure incorporée**
½ c. à c. de **bicarbonate de soude**
2 c. à c. de **gingembre en poudre**
3 morceaux de **gingembre confit,** égouttés (hachez-en 2 et taillez-en 1 en lamelles)
2 **œufs** battus
100 ml de **lait**
125 g de **sucre glace**
3 à 3½ c. à c. d'**eau**

Préchauffez le mijoteur si nécessaire. Beurrez un moule à soufflé de 14 cm de diamètre et de 9 cm de haut. Chemisez le fond de papier sulfurisé.

Faites chauffer le beurre, le sucre, le golden syrup et les dattes dans une casserole sur feu doux, en remuant, jusqu'à ce que le sucre soit dissous. Hors du feu, ajoutez les deux farines, le bicarbonate de soude, le gingembre en poudre, le gingembre confit haché, les œufs et le lait. Fouettez jusqu'à obtention d'un mélange lisse. Versez la pâte dans le moule puis recouvrez ce dernier de papier d'aluminium beurré.

Placez le moule dans le faitout du mijoteur, en vous aidant de bandes d'aluminium (voir page 15). Versez de l'eau bouillante dans le faitout, jusqu'à mi-hauteur du moule. Couvrez et faites cuire 4 h 30 à 5 heures à température élevée. Vérifiez la cuisson en piquant une brochette au centre du gâteau : elle doit en ressortir sèche.

Sortez le moule du faitout, laissez reposer 10 minutes, retirez le papier d'aluminium. Retournez le gâteau sur une grille, enlevez le papier sulfurisé et laissez refroidir.

Tamisez le sucre glace au-dessus d'un bol. Délayez avec juste suffisamment d'eau pour obtenir un glaçage lisse et onctueux. Versez le mélange sur le gâteau, décorez avec les lamelles de gingembre confit et laissez refroidir.

puddings chocolat-cerise

Préparation **25 minutes**
Température de cuisson **élevée**
Cuisson **1 h 30 à 2 heures**
Pour **4 personnes**

50 g de **beurre** + une noisette pour le moule
50 g de **sucre en poudre**
50 g de **farine à levure incorporée**
1 **œuf**
1 c. à s. de **cacao en poudre**
¼ de c. à c. de **levure chimique**
¼ de c. à c. de **cannelle en poudre**
425 g de **cerises** dénoyautées en conserve, égouttées

Sauce au chocolat
100 g de **chocolat blanc** cassé en morceaux
150 ml de **crème fraîche**

Préchauffez le mijoteur si nécessaire. Beurrez 4 petits moules individuels d'une contenance de 250 ml et chemisez le fond de papier sulfurisé.

Mettez le beurre, le sucre, la farine, l'œuf, le cacao, la levure et la cannelle dans un saladier. Fouettez jusqu'à obtention d'un mélange lisse.

Disposez 7 cerises dans le fond de chaque moule. Hachez grossièrement les cerises restantes et incorporez-les à la pâte. Versez la pâte dans les moules et lissez la surface. Recouvrez les moules de papier d'aluminium puis placez-les dans le faitout du mijoteur. Versez de l'eau bouillante dans le faitout jusqu'à mi-hauteur des moules. Couvrez et faites cuire 1 h 30 à 2 heures à température élevée, jusqu'à ce que les gâteaux aient bien gonflé et qu'ils soient souples au toucher. Sortez les moules du faitout.

Préparez la sauce. Faites chauffer le chocolat et la crème dans une petite casserole, à feu doux, en remuant de temps en temps, jusqu'à ce que le chocolat soit fondu. Démoulez les petits gâteaux dans des assiettes creuses. Retirez le papier sulfurisé. Arrosez-les de sauce au chocolat et servez.

Pour des puddings cerise-amande, préparez la pâte comme ci-dessus, en remplaçant le cacao et la cannelle par 2 cuillerées à soupe de poudre d'amande et quelques gouttes d'extrait d'amande. Faites cuire comme ci-dessus, démoulez et servez avec de la glace à la vanille.

petites crèmes chocolat-café

Préparation **25 minutes**
+ refroidissement
Température de cuisson
basse
Cuisson **3 heures à 3 h 30**
Pour **4 personnes**

450 ml de **lait entier**
150 ml de **crème fraîche**
200 g de **chocolat noir** cassé en morceaux
2 **œufs**
3 **jaunes d'œufs**
50 g de **sucre en poudre**
¼ de c. à c. de **cannelle en poudre**
copeaux de **chocolat** pour décorer

Pour servir
150 ml de **crème fraîche**
75 ml de **liqueur de café**

Préchauffez le mijoteur si nécessaire (consultez le mode d'emploi de votre appareil). Faites chauffer le lait et la crème fraîche dans une casserole. Aux premiers bouillons, retirez la casserole du feu, ajoutez le chocolat en morceaux et laissez reposer 5 minutes, en remuant de temps en temps, jusqu'à ce que le chocolat soit fondu.

Mettez les œufs entiers, les jaunes d'œufs, le sucre et la cannelle dans un saladier et fouettez jusqu'à obtention d'un mélange lisse. Incorporez progressivement la préparation au chocolat, avec un fouet, puis filtrez la crème en la répartissant dans 4 petits ramequins ou tasses d'une contenance de 250 ml.

Recouvrez les moules avec du papier d'aluminium puis placez-les dans le faitout du mijoteur. Versez de l'eau bouillante dans le faitout, jusqu'à mi-hauteur des moules. Couvrez et faites cuire 3 heures à 3 h 30 à température basse.

Sortez les ramequins du faitout. Laissez refroidir à température ambiante puis placez au moins 4 heures au réfrigérateur.

Avant de passer à table, fouettez la crème fraîche pour la garniture jusqu'à ce que des pointes souples se forment. Incorporez progressivement la liqueur de café, avec un fouet. Déposez 1 cuillerée de crème fraîche au café sur les crèmes. Décorez de copeaux de chocolat et servez.

pêches vanillées au marsala

Préparation **15 minutes**
Température de cuisson
basse et **élevée**
Cuisson **1 h 15 à 1 h 45**
Pour **4 à 6 personnes**

150 ml de **marsala**
ou de **xérès doux**
150 ml d'**eau**
75 g de **sucre en poudre**
6 **pêches** mûres
mais fermes, coupées
en deux et dénoyautées
(ou 6 nectarines)
1 **gousse de vanille**
fendue en deux
2 c. à c. de **fécule de maïs**
125 g de **framboises**

Préchauffez le mijoteur si nécessaire (consultez le mode d'emploi de votre appareil). Dans une casserole, portez à ébullition le marsala ou le xérès, l'eau et le sucre.

Mettez les moitiés de pêche ou de nectarine dans le faitout de l'appareil, avec la gousse de vanille. Arrosez avec le sirop chaud. Posez le couvercle et faites cuire 1 heure à 1 h 30 à température basse, jusqu'à ce que les fruits soient fondants.

Sortez les fruits du mijoteur et posez-les sur un plat de service. Retirez la gousse de vanille et grattez les graines avec un petit couteau pointu, au-dessus du faitout. Délayez la fécule de maïs avec un fond d'eau froide puis versez-la dans le faitout et faites cuire 15 minutes à température élevée, en remuant de temps en temps.

Versez le sirop épaissi sur les fruits et agrémentez de framboises. Servez ce dessert chaud ou froid, avec de la crème fraîche ou de la glace à la vanille.

Pour une variante pommes-poires, préparez le sirop au marsala comme ci-dessus. Pelez et coupez en quartiers 3 pommes braeburn et 3 poires mûres mais fermes. Placez les fruits dans le faitout du mijoteur, avec une gousse de vanille, et arrosez-les avec le sirop bouillant. Faites cuire et épaissir le sirop comme ci-dessus.

christmas pudding

Préparation **20 minutes**
Température de cuisson **élevée**
Cuisson **7 à 8 heures + 2 heures à 2 h 30**
Pour **6 à 8 personnes**

beurre pour le moule
750 g de **fruits secs** (coupez les plus gros en petits morceaux)
50 g de **pistaches** hachées grossièrement
25 g de **gingembre confit** haché finement
1 **pomme** pelée et râpée grossièrement
le **zeste** râpé et le **jus** de 1 **citron**
le **zeste** râpé et le **jus** de 1 **orange**
4 c. à s. de **cognac** + 4 c. à s. pour servir (facultatif)
50 g de **sucre roux**
50 g de **farine à levure incorporée**
75 g de **chapelure**
100 g de **margarine végétale**
1 c. à c. de **quatre-épices**
2 **œufs** battus

Préchauffez le mijoteur si nécessaire. Beurrez un moule à pudding d'une contenance de 1,5 litre et tapissez le fond de papier sulfurisé.

Dans un saladier, mélangez les fruits secs, les pistaches, le gingembre, la pomme râpée, les zestes et le jus des agrumes, et le cognac. Incorporez les ingrédients restants. Versez cette pâte dans le moule, en la tassant bien. Recouvrez le moule avec du papier sulfurisé, puis avec du papier d'aluminium. Attachez les feuilles au moule avec une ficelle.

Placez le moule dans le faitout du mijoteur, en prévoyant des bandes d'aluminium pour le ressortir (voir page 15). Versez de l'eau bouillante dans le faitout jusqu'aux deux tiers de la hauteur du moule. Couvrez et faites cuire 7 à 8 heures à température élevée. À la mi-cuisson, refaites le niveau du bain-marie. Sortez le moule du faitout et laissez refroidir. Recouvrez le moule avec un nouveau morceau de papier d'aluminium, en laissant le papier sulfurisé en place. Remettez de la ficelle et placez dans un endroit frais pendant 2 mois ou jusqu'à Noël.

Le jour J, préchauffez le mijoteur si nécessaire. Placez le moule dans le faitout et versez de l'eau bouillante comme ci-dessus. Faites chauffer 2 heures à 2 h 30 à température élevée. Démoulez le gâteau. Faites chauffer le cognac dans un petit poêlon. Aux premiers frémissements, enflammez-le puis versez-le sur le pudding. Proposez ce pudding avec du « brandy butter » (beurre sucré parfumé au cognac).

compote prune-raisin

Préparation **10 minutes**
Température de cuisson **basse**
Cuisson **2 h 30 à 3 h 30**
Pour **4 personnes**

300 g de **canneberges**
500 g de **prunes rouges** dénoyautées et coupées en quatre
200 g de **grains de raisin noir** sans pépins, coupés en deux
4 c. à c. de **fécule de maïs**
300 ml de **jus de raisin noir**
100 g de **sucre en poudre**
1 **bâton de cannelle** cassé en deux
le **zeste** râpé de 1 petite **orange**

Crème au lemon curd
150 ml de **crème fraîche** légèrement fouettée
3 c. à s. de **lemon curd**

Préchauffez le mijoteur si nécessaire (consultez le mode d'emploi de votre appareil). Mettez les canneberges, les prunes et les grains de raisin dans le faitout de l'appareil.

Dans un bol, mélangez ensemble la fécule et un peu de jus de raisin, jusqu'à obtention d'une pâte lisse. Ajoutez le reste de jus. Versez ce mélange dans le faitout, avec le sucre, la cannelle et le zeste d'orange. Remuez, posez le couvercle et faites cuire 2 h 30 à 3 h 30 à température basse.

Remuez, jetez la cannelle et le zeste d'orange. Servez cette compote chaude ou froide, dans des assiettes creuses. Proposez en accompagnement de la crème légèrement fouettée mélangée à du lemon curd.

Pour une compote aux fruits du verger, suivez la recette ci-dessus en remplaçant les canneberges et le raisin par 2 poires et 2 pommes pelées et coupées en tranches épaisses.

pommes farcies aux dattes

Préparation **20 minutes**
Température de cuisson **basse**
Cuisson **3 à 4 heures**
Pour **4 personnes**

50 g de **beurre** à température ambiante
50 g de **sucre de canne blond**
½ c. à c. de **cannelle en poudre**
le **zeste** râpé de ½ petite **orange**
1 c. à s. de **gingembre confit,** égoutté et haché finement
50 g de **dattes** dénoyautées et hachées
4 grosses **pommes braeburn** (ou une autre variété de pomme à cuire)
150 ml de **jus de pomme trouble**

Pour servir
crème anglaise chaude ou **crème fraîche**

Préchauffez le mijoteur si nécessaire (consultez le mode d'emploi de votre appareil). Mélangez ensemble le beurre, le sucre, la cannelle et le zeste d'orange, jusqu'à obtention d'une pâte lisse. Ajoutez le gingembre et les dattes.

Enlevez une mince tranche de chair à la base des pommes pour qu'elles ne roulent pas. Enlevez ensuite une grosse tranche du côté de la queue. Avec un petit couteau, enlevez le trognon des pommes.

Divisez la préparation aux dattes en quatre. Farcissez les pommes avec ce mélange, en débordant si nécessaire sur la partie tranchée. Remettez les chapeaux en place puis placez les pommes dans le faitout de l'appareil. Versez le jus de pomme autour des fruits, posez le couvercle et faites cuire 3 à 4 heures à température basse.

Sortez délicatement les pommes du faitout, posez-les dans des assiettes creuses et arrosez-les de sauce. Proposez de la crème anglaise ou de la crème fraîche en accompagnement.

Pour des pommes aux cerises confites, suivez la recette ci-dessus en supprimant la cannelle, en remplaçant le zeste d'orange par du zeste de citron et les dattes par 50 g de cerises confites hachées.

compote nectarine-fraise

Préparation **20 minutes**
Température de cuisson **élevée**
Cuisson **1 heure à 1 h 15**
Pour **4 personnes**

4 **nectarines** dénoyautées et coupées en morceaux
250 g de **fraises** coupées en deux ou en quatre (selon leur taille)
50 g de **sucre en poudre** + 2 c. à s.
le **zeste** finement râpé et le **jus** de 2 **oranges**
125 ml d'**eau** froide
150 g de **mascarpone**
40 g de **biscuits amaretti**

Préchauffez le mijoteur si nécessaire (consultez le mode d'emploi de votre appareil). Mettez les nectarines et les fraises dans le faitout de l'appareil, avec 50 g de sucre, le zeste de 1 orange, le jus de 1½ orange et l'eau. Posez le couvercle et faites cuire 1 heure à 1 h 15 à température élevée.

Quand la compote est presque prête, mélangez le mascarpone avec le reste de sucre ainsi que le reste de zeste et de jus d'orange. Émiettez les biscuits amaretti. Gardez-en un peu pour le décor et mélangez le reste au mascarpone. Versez la compote (chaude ou froide) dans des coupes et répartissez dessus la préparation au mascarpone. Décorez avec les morceaux d'amaretti.

Pour une compote prune-canneberge, remplacez les nectarines et les fraises par 625 g de prunes dénoyautées et coupées en quatre et 125 g de canneberges (inutile de les décongeler si elles sont surgelées). Augmentez la quantité de sucre à 75 g puis poursuivez comme ci-dessus, en remplaçant l'eau par du jus de canneberge et de framboise si vous le souhaitez.

confiture pomme-mûre

Préparation **20 minutes**
Température de cuisson
élevée
Cuisson **4 à 5 heures**
Pour **4 bocaux de 400 g**

1 kg de **pommes à cuire** pelées et coupées en morceaux
500 g de **sucre semoule**
le **zeste** râpé de 1 **citron**
2 c. à s. d'**eau** ou de **jus de citron**
250 g de **mûres**

Préchauffez le mijoteur si nécessaire (consultez le mode d'emploi de votre appareil). Mettez tous les ingrédients dans le faitout de l'appareil, dans l'ordre d'apparition dans la liste. Posez le couvercle et faites cuire 4 à 5 heures à température élevée, en remuant 1 ou 2 fois pendant la cuisson. En fin de cuisson, les fruits doivent être fondants et le sirop épais.

Faites chauffer 4 bocaux propres dans le bas d'un four, à une température douce. Versez la confiture dans les pots chauds. Laissez refroidir puis versez de la paraffine chauffée sur la confiture. Fermez les bocaux avec un morceau de Cellophane maintenu avec un élastique. Étiquetez les bocaux. Conservez cette confiture jusqu'à 2 mois au réfrigérateur. (Du fait de sa teneur moins élevée en sucre qu'une confiture traditionnelle, cette confiture se conserve moins longtemps et doit être placée au réfrigérateur.)

Pour une confiture pomme-prune-mûre-framboise, remplacez la moitié des pommes par 500 g de prunes rouges dénoyautées et coupées en morceaux, et la moitié des mûres par 125 g de framboises. Faites cuire et conservez comme ci-dessus.

curd aux agrumes

Préparation **25 minutes**
Température de cuisson
basse
Cuisson **3 à 4 heures**
Pour **2 bocaux de 400 g**

125 g de **beurre doux**
400 g de **sucre en poudre**
le **zeste** râpé
et le **jus** de 2 **citrons**
le **zeste** râpé
et le **jus** de 1 **orange**
le **zeste** râpé
et le **jus** de 1 **citron vert**
4 **œufs** battus

Préchauffez le mijoteur si nécessaire (consultez le mode d'emploi de votre appareil). Mettez le beurre, le sucre, le zeste des agrumes et le jus filtré dans une casserole. Faites chauffer 2 à 3 minutes à feu doux, en remuant de temps en temps, jusqu'à ce que le beurre ait fondu et que le sucre soit dissous.

Versez le mélange dans un moule adapté à la taille du faitout de votre mijoteur. Laissez refroidir 10 minutes. Ajoutez les œufs, en les faisant traverser un tamis. Remuez intimement. Recouvrez le moule de papier d'aluminium. Glissez le moule dans le faitout, en prévoyant des bandes d'aluminium pour le ressortir (voir page 15). Versez de l'eau bouillante dans le faitout, jusqu'à mi-hauteur du moule. Couvrez et faites cuire 3 à 4 heures à température basse, jusqu'à ce que le mélange soit très épais. Si possible, remuez 1 ou 2 fois en cours de cuisson.

Faites chauffer 2 bocaux propres dans le bas d'un four, à une température douce. Versez le curd dans les pots chauds. Laissez refroidir puis versez de la paraffine chauffée sur le curd. Fermez les bocaux avec un couvercle à vis ou avec un morceau de Cellophane maintenu avec un élastique. Étiquetez les bocaux. Conservez ce curd au réfrigérateur et consommez-le dans les 3 ou 4 semaines.

Pour un lemon curd, suivez la recette ci-dessus, en supprimant l'orange et le citron vert, et en utilisant 3 citrons au lieu de 2. Faites cuire et conservez comme ci-dessus.

chutney tomate-ail-piment doux

Préparation **30 minutes**
Température de cuisson **élevée**
Cuisson **6 à 8 heures**
Pour **5 bocaux de 400 g**

1 kg de **tomates** pelées et hachées grossièrement
1 gros **oignon** haché
2 **pommes à cuire** (environ 500 g), pelées et coupées en morceaux
2 **poivrons rouges** épépinés et coupés en morceaux
75 g de **raisins secs blonds**
100 ml de **vinaigre de malt**
250 g de **sucre semoule**
2 ou 3 gros **piments rouges doux,** épépinés et hachés finement
6 à 8 gousses d'**ail** hachées finement
1 **bâton de cannelle** cassé en deux
½ c. à c. de **poivre de la Jamaïque** moulu
1 c. à c. de **sel**
poivre

Préchauffez le mijoteur si nécessaire (consultez le mode d'emploi de votre appareil). Mettez tous les ingrédients dans le faitout de l'appareil. Mélangez. Posez le couvercle et faites cuire 6 à 8 heures à température élevée, jusqu'à ce que le mélange épaississe. Remuez 1 ou 2 fois en cours de cuisson.

Faites chauffer 5 bocaux à couvercle à vis propres dans le bas d'un four, à une température douce. Versez le chutney dans les pots chauds. Laissez refroidir puis versez de la paraffine chauffée sur le chutney. Fermez les bocaux. Étiquetez et conservez jusqu'à 2 mois dans un endroit frais. Conservez un bocal entamé au réfrigérateur.

Pour un chutney épicé à la tomate verte, remplacez les tomates par 1 kg de tomates vertes hachées mais non pelées. Remplacez également l'oignon et les poivrons par 3 oignons au total (environ 500 g). Mélangez les tomates et les oignons avec les pommes à cuire, le vinaigre, le sucre, les piments et le sel. Réduisez la quantité d'ail à 2 gousses et remplacez la cannelle et le poivre de la Jamaïque par 1 cuillerée à café de gingembre en poudre, 1 cuillerée à café de curcuma et 1 cuillerée à café de clous de girofle grossièrement pilés. Faites cuire et conservez comme ci-dessus.

prunes au vinaigre

Préparation **20 minutes**
Température de cuisson **élevée**
Cuisson **2 heures à 2 h 30**
Pour **2 bocaux de 750 ml + 1 bocal de 500 ml**

750 ml de **vinaigre de vin blanc**
500 g de **sucre en poudre**
7 brins de **romarin**
7 brins de **thym**
7 petites feuilles de **laurier**
4 brins de **lavande** (facultatif)
4 gousses d'**ail** non pelées
1 c. à c. de **sel**
½ c. à c. de **grains de poivre**
1,5 kg de **prunes rouges** fermes, lavées et percées

Préchauffez le mijoteur si nécessaire (consultez le mode d'emploi de votre appareil). Versez le vinaigre et le sucre dans le faitout de l'appareil. Ajoutez 4 brins de romarin, 4 brins de thym, 4 feuilles de laurier, toute la lavande, l'ail, le sel et les grains de poivre. Couvrez et faites cuire 2 heures à 2 h 30 à température élevée, en remuant 1 ou 2 fois en cours de cuisson.

Faites chauffer 3 bocaux à stériliser dans le bas d'un four, à une température douce. Placez les prunes dans les bocaux, en les tassant. Ajoutez le romarin, le thym et le laurier restants. Versez le vinaigre chaud dans les bocaux, en le filtrant. Les prunes doivent être immergées. Fermez hermétiquement les bocaux, sans oublier les joints en caoutchouc.

Étiquetez les bocaux puis laissez refroidir. Conservez ces prunes jusqu'à 3 à 4 semaines dans un placard sombre et frais. Conservez un bocal entamé au réfrigérateur.

café mexicain

Préparation **10 minutes**
Température de cuisson **basse**
Cuisson **3 à 4 heures**
Pour **4 personnes**

50 g de **cacao en poudre**
4 c. à c. de **café instantané**
1 litre d'**eau** bouillante
150 ml de **rhum ambré**
100 g de **sucre en poudre**
½ c. à c. de **cannelle en poudre**
1 gros **piment séché** ou **frais** coupé en deux
150 ml de **crème fraîche**

Pour décorer
2 c. à s. de **chocolat noir** râpé

Préchauffez le mijoteur si nécessaire (consultez le mode d'emploi de votre appareil). Versez le cacao et le café instantané dans un récipient. Ajoutez un peu d'eau bouillante et mélangez jusqu'à obtention d'une pâte lisse.

Versez la pâte obtenue dans le faitout du mijoteur. Ajoutez le reste d'eau bouillante, le rhum, le sucre, la cannelle et le piment. Remuez, posez le couvercle et faites cuire 3 à 4 heures à température basse, jusqu'au moment de servir.

Remuez puis versez la préparation dans des verres résistants à la chaleur. Fouettez la crème jusqu'à ce que des pointes souples se forment. Déposez la crème sur le café. Décorez avec quelques pincées de chocolat râpé et du piment séché, si vous le souhaitez.

Pour une variante moka, réduisez la quantité d'eau bouillante à 900 ml et remplacez le rhum et le piment par 1 cuillerée à café d'extrait de vanille. Faites cuire comme ci-dessus puis incorporez 300 ml de lait, avec un fouet. Versez la préparation dans des verres résistants à la chaleur. Finissez avec de la crème fouettée et décorez de quelques petits marshmallows.

cordial au citron

Préparation **10 minutes**
Température de cuisson **élevée** et **basse**
Cuisson **3 à 4 heures**
Pour **environ 20 verres**

3 **citrons** lavés, coupés en tranches fines
625 g de **sucre semoule**
900 ml d'**eau** bouillante

Préchauffez le mijoteur si nécessaire (consultez le mode d'emploi de votre appareil). Mettez les tranches de citron dans le faitout de l'appareil, avec le sucre et l'eau bouillante. Remuez jusqu'à ce que le sucre soit presque dissous. Posez le couvercle et faites cuire 1 heure à température élevée.

Réduisez la température et faites encore cuire 2 à 3 heures, jusqu'à ce que les tranches de citron soient presque translucides. Éteignez le mijoteur et laissez refroidir.

Jetez quelques-unes des tranches de citron, prélevées avec une écumoire. Transvasez le cordial et les tranches de citron restantes dans 2 bouteilles à grand goulot stérilisées ou dans 2 bocaux. Fermez hermétiquement et conservez jusqu'à 1 mois au réfrigérateur.

Diluez le cordial avec de l'eau (1 part de cordial pour 3 parts d'eau). Ajoutez quelques rondelles de citron pour décorer, des glaçons et quelques brins de menthe fraîche ou de citronnelle, si vous le souhaitez.

Pour un cordial au citron et au citron vert, préparez le cordial avec 2 citrons et 2 citrons verts, lavés et coupés en tranches fines. Diluez le cordial avec de l'eau pétillante et décorez avec des brins de menthe.

punch jamaïcain

Préparation **10 minutes**
Température de cuisson
élevée et **basse**
Cuisson **3 à 4 heures**
Pour **6 personnes**

le **jus** de 3 **citrons verts**
300 ml de **rhum ambré**
300 ml de **vin de gingembre** (*ginger wine*)
600 ml d'**eau** froide
75 g de **sucre en poudre**

Pour décorer
1 **citron vert** taillé en minces rondelles
2 tranches d'**ananas** coupées en morceaux (gardez la peau)

Préchauffez le mijoteur si nécessaire (consultez le mode d'emploi de votre appareil). Filtrez le jus de citron vert au-dessus du faitout de l'appareil. Jetez les pépins. Ajoutez le rhum, le vin de gingembre, l'eau et le sucre. Posez le couvercle et faites cuire 1 heure à température élevée.

Réduisez la température et faites cuire encore 2 à 3 heures, jusqu'au moment de servir. Remuez soigneusement puis versez le punch dans des verres résistant, à la chaleur. Décorez avec 1 rondelle de citron vert et 2 morceaux d'ananas.

Pour un grog au rhum, mettez les zestes râpés de 1 citron et de 1 orange dans le faitout de l'appareil, avec le jus de 3 citrons et de 3 oranges. Ajoutez 125 g de miel et le sucre. Augmentez la quantité d'eau à 750 ml et réduisez la quantité de rhum à 150 ml. Faites cuire et servez comme ci-dessus.

vin chaud aux canneberges

Préparation **10 minutes**
Température de cuisson **élevée** et **basse**
Cuisson **4 à 5 heures**
Pour **8 à 10 verres**

750 ml de **vin rouge**
600 ml de **jus de canneberge**
100 ml de **cognac,** de **rhum,** de **vodka** ou de **liqueur d'orange**
100 g de **sucre en poudre**
8 **clous de girofle**
1 **orange**
1 **bâton de cannelle** (ou 2 s'ils sont petits)

Pour servir
1 **orange** coupée en quartiers
2 ou 3 feuilles de **laurier**
quelques **canneberges** fraîches

Préchauffez le mijoteur si nécessaire (consultez le mode d'emploi de votre appareil). Versez le vin rouge, le jus de canneberge et le cognac (ou un autre alcool) dans le faitout de l'appareil. Incorporez le sucre.

Piquez les clous de girofle dans l'orange. Cassez les bâtons de cannelle en morceaux et ajoutez-les dans le faitout, avec les quartiers d'orange. Couvrez et faites cuire 1 heure à température élevée. Réduisez la température et faites cuire encore 3 à 4 heures à température basse.

Remplacez les quartiers d'orange par des quartiers frais. Ajoutez les feuilles de laurier et les canneberges. Versez le grog dans des verres résistants à la chaleur, avec ou sans les fruits.

Pour un vin chaud à l'orange, préparez le vin comme ci-dessus, en remplaçant le jus de canneberge par 300 ml de jus d'orange et 300 ml d'eau. Décorez avec des fruits et servez.

annexe

table des recettes

soupes, haricots, saucisses, etc.

viandes, volailles & gibier

poissons & fruits de mer

légumes

desserts, boissons & conserves

les nouveautés :

toute la collection :

entre amis

Apéros

Brunchs et petits dîners pour toi & moi

Cocktails glamour & chic

Grillades & Barbecue

Desserts trop bons

Chocolat

cuisine du monde

Curry

Pastillas, couscous tajines

Spécial thaï

Wok

tous les jours

200 plats pour changer du quotidien

Cuisine du marché à moins de 5 euros

Mon pain

Pasta

Pâtisserie facile

Petits gâteaux

Préparer et cuisiner à l'avance

Recettes faciles

Recettes pour bébé

Spécial débutants

Risotto et autres façons de cuisiner le riz

Spécial Poulet

Tout chaud

bien-être

5 fruits & légumes par jour

Petits plats minceur

Poissons & crustacés

Recettes vapeur

Salades

Smoothies et petits jus frais & sains

SIMPLE
PRATIQUE
BON

POUR CHAQUE RECETTE, UNE VARIANTE EST PROPOSÉE.